Montréal
une ville d'histoire

Guide des lieux,
des personnes
et des événements
d'importance
historique nationale
sur l'île de Montréal

GUIDE PATRIMONIAL

Montréal, une ville d'histoire.

Guide des lieux, des personnes et des événements d'importance historique nationale sur l'île de Montréal

© Sa Majesté la Reine du chef du Canada, 2004

Dépôt légal – Bibliothèque nationale du Canada, 2004
Dépôt légal – Bibliothèque nationale du Québec, 2004

La publication de ce guide patrimonial est, à maints égards, le fruit d'un travail collectif.

CONCEPTION, COORDINATION, ÉLABORATION DU CONTENU, RECHERCHE ET RÉDACTION : Rémi Chénier

BANQUE DE DONNÉES INFORMATIQUES ET RECHERCHES DOCUMENTAIRES : Doris Drolet-Dubé

CARTOGRAPHIE : Pierre Rochon, Dimension DPR inc.

CONCEPTION GRAPHIQUE ET MONTAGE : Bernard Pelletier

CONSEILLER HISTORIQUE : André Charbonneau

GROUPE DE TRAVAIL : Pierre Beaudet, Jacqueline Bélanger, Rémi Chénier, Michel Filteau, Susan Hogan, Éric Le Bel, Bernard Pelletier, Sylvie Rochette, Pierre Thibodeau

IMPRESSION : Transcontinental

NUMÉRISATION DES PHOTOGRAPHIES : Jean Drolet

RECHERCHE ET RÉDACTION ADDITIONNELLES : Johanne Lachance et Normand Lafrenière

RÉVISION DES TEXTES : Bernard Audet, Ghislaine Fiset, Noëlla Gauthier et Marie-France Richard

Données de catalogage avant publication de la Bibliothèque nationale du Canada
Parcs Canada, Centre de services du Québec
Montréal, une ville d'histoire. Guide des lieux, des personnes et des événements d'importance historique nationale sur l'île de Montréal
Publ. aussi en anglais sous le titre : *Montréal, a City Steeped in History. Guide to Nationally Significant Places, Persons and Events on the Island of Montréal.*
Titre de la couv. : Montréal, une ville d'histoire. Guide patrimonial.
ISBN 0-660-96911-4
N° de cat. R63-306/2004F
1. Lieux historiques – Québec (Province) – Montréal – Guides.
2. Montréal (Québec) – Guides.
3. Montréal (Québec) – Circuits touristiques.
I. Parcs Canada. Centre de services du Québec.
FC2947.18P37 2004   971.4'2805   C2004-980110-4

Couverture : Howie Morenz. Photo : James Rice/Hockey Hall of Fame; partie de curling sur le Saint-Laurent en 1855, W.S. Hatton, ANC, C-040148, détail; l'Oratoire Saint-Joseph du mont Royal. Photo : Jean-François Caron, Parcs Canada, Québec, octobre 2003.

Montréal, une ville d'histoire

La place du marché en 1790, P. Sandby (détail).
ANC, C-151295 (Peter Winkworth Collection of Canadiana).

Sommaire

Montréal, une ville d'histoire

S O M M A I R E

*S*aviez-vous que l'on commémore à Montréal le premier bateau à vapeur construit au Canada : l'*Accommodation*?

*S*aviez-vous que George Beers, un éminent dentiste montréalais, a codifié et popularisé le sport de la crosse au XIXe siècle?

*S*aviez-vous que le boulevard Saint-Laurent, le cimetière Mont-Royal et plusieurs églises, telle la basilique Saint-Patrick, sont des lieux historiques nationaux?

*C*e ne sont là que quelques exemples de lieux, de personnes ou d'événements désignés d'importance historique nationale dans l'île de Montréal. Ils forment un maillon essentiel du vaste réseau des lieux historiques nationaux du Canada. Vous en saurez davantage en parcourant ce guide qui propose aussi un survol de l'histoire de Montréal. Vous y trouverez également plus d'une centaine de notices historiques individuelles ainsi qu'une illustration riche et variée. Grâce aux index alphabétique et thématique, vous pourrez même créer vos propres circuits de visite.

*S*i l'histoire vous intéresse, si vous êtes un tantinet curieux, si vous avez à cœur la protection du patrimoine, ou si vous désirez simplement visiter Montréal d'une façon différente, alors ce guide est pour vous!

Saviez-vous qu'à l'aéroport international Pierre-Elliott-Trudeau, on rappelle la mise en service du *Norseman*, un avion qui s'est illustré dans le Grand Nord canadien et au cours de la Seconde Guerre mondiale?

Saviez-vous que Howie Morenz, vedette du club de hockey les Canadiens de Montréal dans les années 20 et 30, a été commémoré par une plaque dévoilée au Forum en 1978?

Saviez-vous que le gouvernement fédéral commémore des événements comme la construction du pont Victoria, en 1859, et la Grande Paix de Montréal de 1701?

Jetez un coup d'œil aux pages suivantes, vous ferez d'étonnantes découvertes!

UN PATRIMOINE À DÉCOUVRIR

Ce guide est divisé en trois sections qui suggèrent des parcours de visite basés sur la proximité géographique des endroits de commémoration.

- Le secteur du **VIEUX-MONTRÉAL** comprend trois parcours qui peuvent facilement se faire à pied;
- le secteur du **CENTRE-VILLE**, où il est préférable d'emprunter le métro, présente quatre zones de concentration qui forment autant de parcours : 1. autour de la gare Windsor et du square Dorchester; 2. le nord-ouest; 3. le secteur de l'Université McGill; 4. des églises, la Place des Arts, le Monument-National et l'est;
- le secteur de **L'ÎLE DE MONTRÉAL**, quant à lui, englobe cinq parcours faciles d'accès par le métro ou l'autobus (et pourquoi pas lors d'une excursion ou d'un pique-nique?) : 1. du Jardin botanique aux abords des cimetières; 2. du canal de Lachine à Villa Maria; 3. les rapides de Lachine; 4. l'ouest de l'île; 5. la périphérie.

Des cartes indiquent l'emplacement effectif ou proposé pour chacun des éléments reconnus d'importance historique nationale. Dans de nombreux cas, ces endroits sont marqués par une plaque commémorative. En plus des cartes de secteur, des plans en médaillon se retrouvent dans le coin supérieur droit des pages impaires.

Deux index, l'un alphabétique et l'autre thématique, facilitent le repérage des champs d'intérêt et la confection de circuits de visite personnalisés. Règle générale, les titres des notices historiques sont ceux qui sont inscrits sur les plaques commémoratives, lorsque celles-ci existent.

EXEMPLE : Secteur du Vieux-Montréal

Présentation du secteur et des cartes des parcours

Présentation du parcours
Carte en médaillon
et notices historiques

**Secteur de
l'ÎLE DE MONTRÉAL**

**Secteur du
CENTRE-VILLE**

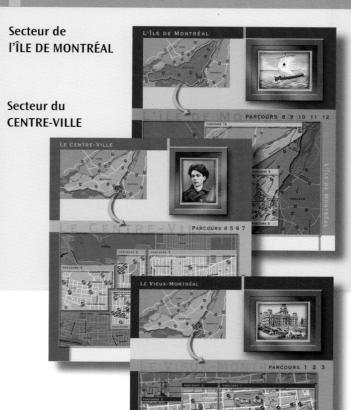

**Secteur du
VIEUX-MONTRÉAL**

Élément du parcours
décrit dans la page

Autres éléments qui
composent le parcours

COMMENT UTILISER CE GUIDE

Je tiens à remercier Pierre Beaudet
et Michel Filteau pour leurs multiples démarches
afin d'assurer la publication de ce volume.
Merci à Johanne Lachance et à Normand Lafrenière
pour une partie de la recherche et la rédaction
de plusieurs notices historiques ainsi qu'à tous
ceux qui ont révisé les textes; à Pierre Rochon
pour la cartographie; à Jean Drolet pour les
numérisations et à Bernard Pelletier pour la
conception graphique et la qualité exceptionnelle
de la présentation.

J'adresse un remerciement spécial à Doris Drolet-
Dubé pour la confection et la tenue de la base
de données, pour ses recherches documentaires
et son implication dans cette entreprise.

Que les diverses personnes et les organismes
qui ont contribué à la richesse iconographique
de ce guide trouvent également ici l'expression
de ma reconnaissance.

Enfin, je veux souligner la précieuse
collaboration de la Société de développement
de Montréal, de Tourisme Montréal
et du Musée McCord d'histoire canadienne,
qui ont cru au succès de cette publication
et s'y sont impliqués financièrement.

Rémi Chénier
Historien
Parcs Canada
Centre de services du Québec

REMERCIEMENTS

Qu'est-ce que le réseau des lieux historiques nationaux du Canada?

Le programme de commémoration historique du Canada est géré par Parcs Canada. La Commission des lieux et monuments historiques du Canada a pour mandat de conseiller le ministre responsable sur la commémoration des aspects de l'histoire du Canada qui revêtent une importance nationale. Depuis 1919, année de la création de la Commission, près de 2000 lieux (dont 145 sont administrés par Parcs Canada), personnes et événements ont été désignés d'importance historique nationale. Ensemble, ils forment le réseau des lieux historiques nationaux du Canada.

L'un des principaux objectifs du gouvernement fédéral est de s'assurer que ce réseau reflète l'histoire et le patrimoine du pays en tenant compte de leur aspect évolutif et qu'il soit représentatif des intérêts et des priorités des Canadiens dans ce domaine. D'ailleurs, plus

CADRE THÉMATIQUE DES LIEUX HISTORIQUES NATIONAUX DU CANADA

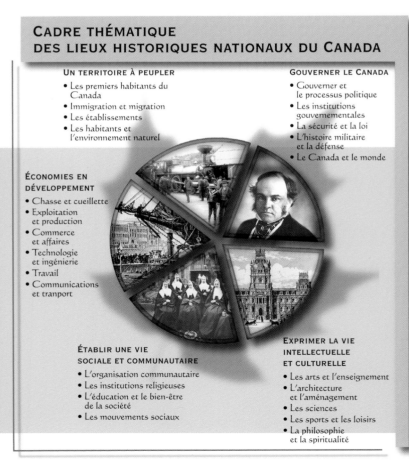

UN TERRITOIRE À PEUPLER
- Les premiers habitants du Canada
- Immigration et migration
- Les établissements
- Les habitants et l'environnement naturel

GOUVERNER LE CANADA
- Gouverner et le processus politique
- Les institutions gouvernementales
- La sécurité et la loi
- L'histoire militaire et la défense
- Le Canada et le monde

ÉCONOMIES EN DÉVELOPPEMENT
- Chasse et cueillette
- Exploitation et production
- Commerce et affaires
- Technologie et ingénierie
- Travail
- Communications et tranport

ÉTABLIR UNE VIE SOCIALE ET COMMUNAUTAIRE
- L'organisation communautaire
- Les institutions religieuses
- L'éducation et le bien-être de la société
- Les mouvements sociaux

EXPRIMER LA VIE INTELLECTUELLE ET CULTURELLE
- Les arts et l'enseignement
- L'architecture et l'aménagement
- Les sciences
- Les sports et les loisirs
- La philosophie et la spiritualité

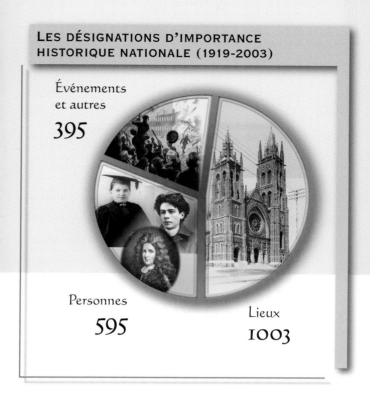

LES DÉSIGNATIONS D'IMPORTANCE HISTORIQUE NATIONALE (1919-2003)

Événements et autres
395

Personnes
595

Lieux
1003

de 80 % des demandes de désignation proviennent du public; le reste est attribuable à Parcs Canada et aux autres ministères fédéraux.

Le plan du réseau, révisé en octobre 2000, propose une façon globale de percevoir l'histoire du Canada selon cinq thèmes qui servent de cadre pour le choix des désignations. Afin de donner suite à des consultations publiques dans le domaine de la protection du patrimoine, mais aussi pour combler certaines lacunes dans les demandes émanant de la population, Parcs Canada a établi trois priorités de commémoration : l'histoire des Autochtones, celle des communautés ethnoculturelles et celle des femmes.

S'assurer que ce réseau reflète l'histoire et le patrimoine du pays en tenant compte de leur aspect évolutif.

LE RÉSEAU DES LIEUX HISTORIQUES NATIONAUX DU CANADA

La Commission comprend aujourd'hui vingt membres. Le Québec, tout comme l'Ontario, compte deux représentants, tandis que les autres provinces et les trois territoires (Yukon, du Nord-Ouest et du Nunavut) en ont chacun un.

Tout aspect de l'histoire du Canada peut être déclaré d'importance historique nationale. Un lieu, une personne ou un événement peut faire l'objet d'une telle désignation s'il a joué un rôle marquant dans l'histoire du pays ou s'il constitue une illustration d'importance nationale d'un aspect de notre histoire. Pour être admissibles, les lieux (site archéologique, construction, bâtiment ou groupe de bâtiments, arrondissement ou paysage culturel) doivent avoir été achevés avant 1975. Quant aux personnes, elles doivent être décédées depuis au moins 25 ans, sauf les premiers ministres du Canada, pour qui la commémoration est immédiate.

LES DIVERS MODÈLES DE PLAQUES (1923-2003)

Les divers modèles de plaques (1923-2003).
Photos : Rémi Chénier, Parcs Canada, Québec, 1991.

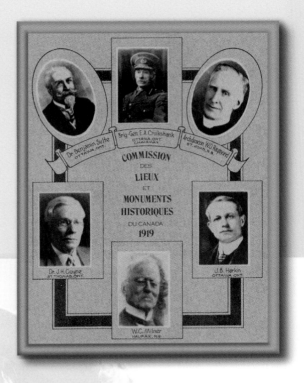

Selon la recommandation de la Commission, la commémoration peut revêtir des formes diverses : apposition d'une plaque, érection d'un monument, entente de partage de frais pour la conservation ou la mise en valeur d'un lieu déclaré d'importance nationale. L'apposition d'une plaque commémorative bilingue est la pratique la plus courante.

Les premiers membres de la Commission des lieux et monuments historiques du Canada.
Page couverture du procès-verbal de la Commission de novembre 1979 conçue par R. Huggins, Parcs Canada.

L'île de Montréal occupe une position géographique particulière qui a influencé le cours de son histoire et celle de la métropole. Elle est située à la rencontre du fleuve Saint-Laurent et de la rivière des Outaouais. La rivière des Prairies la délimite au nord; le Saint-Laurent et le lac Saint-Louis, au sud. Grâce à ces voies navigables, Montréal a accès à l'intérieur du continent et à l'une des régions agricoles les plus fertiles au pays. Elle en restera longtemps le principal centre administratif, économique, militaire et religieux.

Près de 20 % des désignations d'importance historique nationale au Canada concernent le Québec. L'île de Montréal à elle seule en compte 113, soit presque le tiers des désignations au Québec et 6 % de celles au pays. Voilà un chiffre révélateur, qui dénote bien l'importance de l'île de Montréal au sein de l'histoire du Québec et du Canada!

Jusque dans les années 1990, les désignations relatives à l'île de Montréal sont conformes à une interprétation traditionnelle de l'histoire du Canada. C'est dire que des segments importants de

Les désignations d'importance historique nationale pour l'île de Montréal (1919-2003)

Événements et autres 10

Personnes 52

Lieux 51

la population, tels que les Autochtones, les femmes et les communautés ethnoculturelles, sont, en partie ignorés. Cela tient au fait que la plupart des demandes du public ne suivent pas nécessairement l'évolution et les nouvelles orientations en histoire. Il faut dire aussi que la Commission a progressé depuis 1919, autant dans sa composition que dans ses priorités de commémoration.

Ces désignations se répartissent assez également en trois grandes périodes historiques : le Régime français, le Régime anglais et le Canada-Uni, ainsi que le Canada moderne. Certaines rendent compte des inévitables chevauchements chronologiques; c'est le cas de l'arrondissement historique du boulevard Saint-Laurent, par exemple.

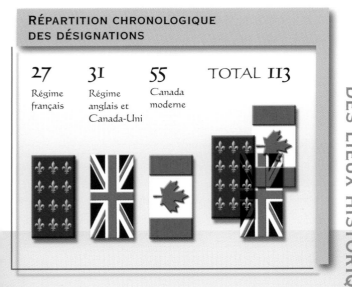

RÉPARTITION CHRONOLOGIQUE DES DÉSIGNATIONS

27	31	55	TOTAL 113
Régime français	Régime anglais et Canada-Uni	Canada moderne	

Le choix des lieux, des personnes et des événements reconnus d'importance historique nationale pour le Régime français (1534-1760) démontre que, durant les vingt premières années de son existence, la Commission s'est intéressée aux explorations (*Hochelaga, Cavelier de La Salle, les « Voyageurs »*, etc.[1]), aux premiers établissements et à la colonisation (*Aux origines de Montréal*), au domaine militaire et aux conflits avec les Autochtones (*bataille de Rivière-des-Prairies, bataille du lac des Deux Montagnes, Le Moyne d'Iberville, massacre de Lachine*).

---

1 Les mots en italique dans le texte renvoient aux parcours qui contiennent de courtes notices historiques sur chacun des éléments désignés d'importance nationale.

MONTRÉAL, AU CŒUR DU RÉSEAU DES LIEUX HISTORIQUES NATIONAUX

Par la suite, on ne décèle pas d'orientation spécifique, sinon que l'on commémore plusieurs lieux (*rapides de Lachine, jardin du Séminaire de Saint-Sulpice, tours des Sulpiciens* et *château Ramezay*) ainsi que des personnages d'envergure (*Marguerite Bourgeoys, Chomedey de Maisonneuve, Jeanne Mance...*). À noter qu'une étude sur l'apport des communautés religieuses au Canada a suscité la désignation de la *Compagnie de Jésus* (les Jésuites), celle de la *congrégation de Notre-Dame* et celle des *Sœurs grises de Montréal* en 1988. Plus récemment, la commémoration de la *Grande Paix* de 1701 a aussi permis d'honorer ses principaux artisans : *Callière* et *Kondiaronk*.

Comme celles du Régime français, les désignations pour le Régime anglais et le Canada-Uni (1760-1867) s'attachent surtout à des personnes et à des lieux. Elles ont trait en particulier à la population anglophone de Montréal (Anglais, Écossais et Irlandais), au monde politique et commercial ainsi qu'au domaine religieux. Plusieurs désignations concernent le transport, l'industrie et la technologie; d'autres s'intéressent aux sports (*Royal Montreal Curling Club, George Beers* et la crosse) ainsi qu'aux arts et aux lettres (*Michel Bibaud* et *William Notman*). Encore une fois, elles correspondent à une vision traditionnelle de l'histoire et reflètent les valeurs dominantes de la société, à une époque donnée.

Certains édifices sont également reconnus d'importance nationale et ils évoquent des styles variés[2] : néoclassique (*marché Bonsecours*), néogothique (*basilique Saint-Patrick, basilique Notre-Dame, cathédrale Christ Church* et *Trafalgar Lodge*) et palladien (*ancien édifice de la Douane*). Deux cimetières font aussi l'objet de commémoration : *Mont-Royal* et *Notre-Dame-des-Neiges*.

Plus de la moitié des désignations pour le Canada moderne, soit de la Confédération de 1867 à nos jours, s'attachent à des personnes, dont trois Pères de la Confédération (*George-Étienne Cartier, Thomas D'Arcy McGee* et *Alexander Tilloch Galt*). Les commerçants et les financiers, notamment ceux de la compagnie de chemin de fer Canadien Pacifique, sont bien représentés avec les *Macaulay, Macdonald, Rose, Smith, Stephen* et *Van Horne*. Plusieurs sommités de réputation internationale sont reconnues dans le domaine de la médecine (*Abbott, Archibald, Osler, Penfield* et *Selye*) et des sciences (*Adams, frère Marie-Victorin, Kennedy* et *Rutherford*); la plupart ont œuvré à l'Université McGill. Les personnalités des arts et des lettres relèvent du journalisme (*Bourassa*), de la musique (*Champagne* et *Pelletier*), de la muséologie (*McCord*), de la peinture (*Morrice*) et de la poésie (*Nelligan*).

---

2 Voir, plus loin, le résumé des styles architecturaux.

Les désignations reflètent aussi la volonté de Parcs Canada de commémorer des personnes ou des groupes jusqu'alors sous-représentés. Par exemple, la mémoire des Noirs qui ont lutté pour le syndicalisme et la défense de leurs droits est honorée par la plaque sur *les porteurs ferroviaires et leurs syndicats*. De même, des femmes qui se sont dévouées à l'émancipation de leurs consœurs, comme *Maude Abbott, Marie Lacoste-Gérin-Lajoie, Margaret Ridley Charlton* et *Idola Saint-Jean*, sont maintenant reconnues d'importance historique nationale. Enfin, la profession d'infirmière est soulignée à travers les *pavillons Hersey* et *Mailloux*.

Une vingtaine de désignations mettent en évidence plusieurs styles architecturaux : Arts and Crafts (*arrondissement historique de Senneville*), Art déco (*théâtre Outremont*), Beaux-Arts (*Masonic Memorial Temple, théâtre Rialto*), éclectique (*Monument-National*), néobaroque (*basilique-cathédrale Marie-Reine-du-Monde*), néogothique (*édifice Wilson Chambers, église anglicane St. George, église St. James United*), néo-Queen Anne (*appartements Marlborough, édifice de la Banque de Montréal, résidence H.-Vincent-Meredith*), néoroman (*gare Windsor, église Erskine and American, église Notre-Dame-de-la-Défense*), néo-Renaissance (*ancienne maison Stephen*) et Second Empire (*hôtel de ville de Montréal, maison Van Horne-Shaughnessy*). On retrouve souvent les mêmes architectes et les mêmes décorateurs à l'œuvre : les Bourgeau, Briffa, Mesnard, Nincheri, Perrault, Thomas et Maxwell...

MONTRÉAL, AU CŒUR DU RÉSEAU DES LIEUX HISTORIQUES NATIONAUX

Le marché Bonsecours vers 1920, Herbert Raine.
ANC, e000943146 (Peter Winkworth Collection of Canadiana).

Les désignations d'importance historique nationale permettent de retracer les grandes phases de l'histoire de Montréal.

Le Régime français

La plaque commémorant *Hochelaga* rappelle que Jacques Cartier, découvreur du Canada, a visité l'île de Montréal et ce village iroquoien lors de son second voyage, en 1535. Il est vraisemblablement retourné dans cette région en 1541 pour faire un relevé des « *rapides de Lachine* ». En 1603, Samuel de Champlain, futur fondateur de Québec, explore le fleuve Saint-Laurent au-delà de ces rapides. Huit ans plus tard, il fait défricher une parcelle de terre à l'actuelle pointe à Callière, qu'il nomme place Royale.

Aux origines de Montréal raconte la fondation de Ville-Marie, sous l'égide de la Société de Notre-Dame de Montréal pour la conversion des sauvages, par *Paul de Chomedey de Maisonneuve*, *Jeanne Mance* et un groupe de pionniers, le 17 mai 1642. Cette colonie missionnaire devenait ainsi le poste le plus avancé à l'ouest de la Nouvelle-France.

La première attaque des Iroquois[3] a lieu en 1643, année où Louis d'Ailleboust de Coulonge fait bâtir un fort à la pointe à Callière. Les colons vivent une période éprouvante, si bien que, vers 1650, ils n'osent même plus sortir du fort. L'arrivée de recrues en 1653 et en 1659 vient sauver la situation.

---

3 Puissante confédération de cinq nations autochtones qui habitaient, à l'origine, la partie nord de l'État de New York. Les Iroquois s'allieront d'abord aux Hollandais, puis aux Anglais, et s'opposeront aux Français pour le contrôle de la traite des fourrures et pour maintenir leur rôle d'intermédiaires auprès des autres nations autochtones.

L'importance du commerce des fourrures se dessine très tôt dans l'histoire de Ville-Marie. La colonie se trouve en effet au carrefour des échanges avec les Amérindiens qui, chaque année, descendent la rivière des Outaouais et le Saint-Laurent pour troquer leurs pelleteries. La traite occupera bientôt une place vitale dans l'économie locale, d'autant plus que la Société de Notre-Dame, aux prises avec des difficultés financières, a du mal à assumer le paiement des dépenses de la colonie montréalaise. Le 9 mars 1663, elle doit céder la seigneurie de l'Île-de-Montréal au Séminaire de Saint-Sulpice.

Cette période de fondation est aussi celle de la venue des communautés religieuses. Aux missionnaires jésuites (*Compagnie de Jésus*) succèdent les Sulpiciens en 1657 (*jardin du Séminaire de Saint-Sulpice, tours des Sulpiciens*). *Marguerite Bourgeoys* arrive en 1653 et fonde la *congrégation de Notre-Dame* en 1658; les religieuses hospitalières de Saint-Joseph s'installent l'année suivante.

Dès les débuts, ces communautés religieuses occupent d'immenses propriétés qui marqueront le paysage montréalais jusqu'à la fin du XIXᵉ siècle. Elles possèdent également des édifices imposants. L'église paroissiale est inaugurée en 1683 et le nouveau séminaire de Saint-Sulpice date de 1684. L'Hôtel-Dieu de *Jeanne Mance* fait place à un bâtiment en pierre, entre 1689 et 1694. Incendié en 1695, il est aussitôt reconstruit. La *congrégation de Notre-Dame* loge dans un second édifice depuis 1684. En 1692, les Récollets se fixent dans la partie ouest de la ville, alors que les Jésuites (*Compagnie de Jésus*), de retour la même année, optent pour le secteur est, à l'extérieur de la palissade. *Mère Marie-Marguerite d'Youville* fonde les *Sœurs grises de Montréal* en 1737.

Les nouveaux seigneurs de l'île, les Sulpiciens, entreprennent en 1666 de diviser leur territoire afin d'en assurer l'exploitation et le peuplement. La première paroisse rurale, Pointe-aux-Trembles, est créée dans l'est de l'île en 1674. À l'ouest, celle

MONTRÉAL EN TROIS TEMPS

de Lachine est fondée en 1676, mais elle sera dévastée en 1689 (*massacre de Lachine*); Rivière-des-Prairies, au nord-est, remonte à 1687 (*bataille de Rivière-des-Prairies*). Le nord de l'île se développe plus rapidement que la section sud-ouest et, vers la fin du XVIIe siècle, les Sulpiciens commencent à accorder des concessions à l'intérieur des terres.

Le nom de Montréal tend à remplacer celui de Ville-Marie après 1670, même si on retrouve cette dernière appellation aussi tardivement qu'en 1685. Le supérieur des Sulpiciens, François Dollier de Casson, trace le plan des premières rues de la ville en 1672; la plupart existent encore de nos jours. On dénombre 152 maisons à Montréal en 1697 et 400 en 1731 malgré l'incendie majeur qui, 10 ans plus tôt, a ravagé 160 demeures ainsi que l'Hôtel-Dieu.

Montréal apparaît comme un centre névralgique. Elle sert de base militaire pour les expéditions contre les colonies anglaises et leurs alliés des Cinq-Nations (les Iroquois), le cantonnement de troupes et l'établissement de forts à l'intérieur du territoire de la Nouvelle-France, en particulier dans la région des Grands Lacs. Elle joue un rôle de premier plan dans le contrôle du commerce des fourrures et les relations diplomatiques, notamment avec les Autochtones, comme l'illustrent les négociations qui mèneront à la *Grande Paix de Montréal* en 1701 (*Callière* et *Kondiaronk*).

La fonction militaire de la ville est renforcée par la construction de fortifications qui remplacent les redoutes et les fortins mis en place au début. Ces ouvrages sont destinés à contrer deux ennemis : les Iroquois, dont les raids, après la trêve de 1667-1680, reprennent de plus belle (*massacre de Lachine, bataille du lac des Deux Montagnes, bataille de Rivière-des-Prairies*), et les assaillants en provenance des colonies anglaises. Une enceinte de pieux est érigée en 1687-1689. Puis, en 1693, le gouverneur *Callière* décide de fortifier le moulin du coteau Saint-Louis, à l'est de la palissade. Cette enceinte est agrandie en 1699 et en 1709 afin d'y intégrer la « citadelle » et une partie du faubourg Bonsecours. Elle sera remplacée, entre 1717 et 1744, par une muraille en maçonnerie.

La fonction militaire
de la ville est renforcée
par la construction de
fortifications qui remplacent
les redoutes et les fortins
mis en place au début.

À l'époque de *Maisonneuve*, la croissance de la population est modeste. Cependant, dès 1663, on dénombre 596 habitants, auxquels viendront s'ajouter, en 1665, une partie des soldats du régiment de Carignan-Salières envoyés pour mettre fin à la menace iroquoise. On recense 1200 habitants en 1700 et 4000 en 1754. En 1721, le feu rase plus de cent maisons; cette fois, c'est en pierre qu'elles seront reconstruites. Ce nouvel aspect visuel de la ville se maintiendra après la Conquête anglaise de 1760.

MONTRÉAL EN TROIS TEMPS

Montréal vue de la Montagne, 15 octobre 1784, James Peachey (détail). ANC, e000835923 (Peter Winkworth Collection of Canadiana).

Le Régime anglais et le Canada-Uni

La Conquête a entraîné un changement d'élite et la création d'un réseau commercial et financier qui profitera davantage aux nouveaux entrepreneurs anglophones. La bourgeoisie de la fin du XVIIIe siècle est dominée par les marchands de fourrures. La Compagnie du Nord-Ouest est fondée en 1779. Vingt-cinq ans plus tard, elle détient le monopole du commerce à Montréal. En 1821, elle fusionne avec la Compagnie de la baie d'Hudson (*hangar de Lachine*). Après 1780, même si le commerce des fourrures demeure la principale activité économique, l'exploitation du blé, du bois et de la potasse prend de l'ampleur; ce mouvement perdure jusqu'aux années 1860.

En 1765 et 1768, deux incendies majeurs dévastent à nouveau Montréal. La ville est envahie par les Américains en 1775-1776. Avec l'arrivée des Loyalistes, après 1783, et le développement des faubourgs, la population s'accroît : on dénombre 9000 habitants en 1800. La cité de Montréal est créée en 1792; elle comprend non seulement la ville fortifiée, mais aussi les faubourgs et une bonne partie de la campagne environnante, en excluant toutefois le mont Royal.

Au cours des années 1800-1850, Montréal est la principale ville de l'Amérique du Nord britannique. Tout comme la colonie, elle vit pourtant des temps troubles et agités. La guerre de 1812 avec les États-Unis stimule l'économie urbaine, mais la Rébellion de 1837-1838 est particulièrement ressentie dans la région montréalaise (*Louis-Joseph Papineau, maison Papineau*). En 1840, l'union du Bas-Canada et du Haut-Canada crée le Canada-Uni (*Augustin Cuvillier, sir Louis-Hippolyte LaFontaine*). En 1849, l'édifice du *Parlement de la province du Canada*, qui siège alors à Montréal, est incendié lors d'une émeute (*James Bruce*).

Après la Conquête et jusqu'en 1833, puis de 1836 à 1840, Montréal est administrée selon le régime des juges de paix. Jacques Viger est élu maire en 1833, année où l'on adopte la devise de la ville : *Concordia Salus* (le salut par la concorde); il sera en fonction jusqu'en 1836. Le mode d'administration municipale selon le principe de l'incorporation est instauré en 1840. La loi de 1845 impose un nouveau découpage en neuf quartiers, qui restera en vigueur jusqu'en 1899 : la vieille ville est divisée en trois (l'Est, le Centre et l'Ouest) et la périphérie en six (Sainte-Marie, Saint-Jacques, Saint-Louis, Saint-Laurent, Saint-Antoine et Sainte-Anne). Le *marché Bonsecours* sert d'hôtel de ville entre 1852 et 1878.

Afin de pourvoir à la salubrité, la commodité et l'embellissement de la ville et à cause des pressions exercées par le milieu du commerce et des affaires, les fortifications sont démolies suivant une loi adoptée en 1801. Les travaux de démolition, qui se poursuivent jusqu'en 1817, permettent de tracer de nouvelles rues, comme McGill ou des Commissaires, et des places publiques, tel le marché au foin. Le Champ-de-Mars est agrandi et la disparition de la butte de la citadelle, en 1819, rend possibles la prolongation de la rue Notre-Dame ainsi que l'aménagement du square Dalhousie. Le départ de la garnison britannique, en 1871, accélère le déclin de la fonction militaire de la ville.

Entre-temps, un renouveau religieux, dont le principal artisan est l'évêque de Montréal, Mgr Ignace Bourget[4], a lieu à partir des années 1840. Ce mouvement est marqué par la venue ou la fondation de plusieurs communautés religieuses et de certaines institutions : les *Sœurs de la Providence*, les *Sœurs de Sainte-Anne*, le *couvent Villa Maria*.

---

4 Mgr Bourget sera également l'instigateur de la construction de la *cathédrale Marie-Reine-du-Monde*, entre 1870 et 1894.

Le *canal de Lachine*, « berceau de l'industrie canadienne », est ouvert à la navigation dès 1824, même si les travaux ne sont achevés que l'année suivante. Il est élargi dans les années 1840, au moment où l'on prolonge le réseau des canaux du Saint-Laurent jusqu'aux Grands Lacs. Les décennies suivantes sont marquées par l'industrialisation du secteur longeant le *canal de Lachine* et par l'extension du réseau de chemins de fer (création du Grand Tronc en 1852). Cet essor industriel et ferroviaire ainsi que les suites de l'aménagement du canal transforment le quartier Sainte-Anne.

Une évolution remarquable des transports s'opère dans la première moitié du XIXᵉ siècle, et Montréal tient à occuper une place de choix au sein des échanges entre l'Amérique du Nord, la Grande-Bretagne et l'Europe. Elle devient le centre du transport au Canada, non seulement à cause des *rapides de Lachine* qui marquent la limite entre la navigation maritime et la navigation fluviale, mais aussi en raison du système intégré mis en place par les marchands montréalais : routes, canaux, chemins de fer, bateaux à vapeur (*Accommodation*).

À partir de la décennie 1840-1850, des quartiers bourgeois, ouvriers et industriels se forment autour de la vieille ville, centre des affaires et des activités portuaires. Celle-ci ne délaisse pas pour autant son rôle de centre administratif (*ancien édifice de la Douane, marché Bonsecours*), politique (*Parlement de la province du Canada*) et religieux (*ancien Hôpital général des Sœurs grises, basilique Notre-Dame*).

Montréal en 1851, Augustus Kollner.
ANC, C-13448.

Des zones industrielles sont créées dans l'est, des installations de la famille *Molson* jusqu'à Hochelaga; dans l'ouest, de multiples entreprises (scieries, minoterie et métallurgie) se regroupent autour des écluses du *canal de Lachine* afin de bénéficier de son énergie hydraulique (*complexe manufacturier du canal de Lachine*). Les ateliers ferroviaires de Pointe-Saint-Charles font la fierté des Montréalais au même titre que le *pont Victoria* (1859), œuvre du Grand Tronc, qui fabrique aussi des wagons et des locomotives dans ses propres ateliers.

Vers 1850, l'île de Montréal fournit la plus grande partie de la production agricole du Bas-Canada. Ses neuf paroisses rurales trouvent des débouchés au marché de la ville, davantage tournée vers le secteur manufacturier, que ce soit dans les domaines de l'alimentation, de la chaussure, de la confection ou du textile. S'y développe également une industrie lourde, axée principalement sur la fabrication de matériel de transport (*complexe manufacturier du canal de Lachine*). Cette industrialisation profite au monde commercial et financier, dominé par les banques des rues Saint-Jacques et Notre-Dame (*Augustin Cuvillier, William Molson*).

La population évolue avec l'arrivée massive d'immigrants en provenance des colonies britanniques, en particulier d'Irlande, entre 1815 et 1850 (*basilique Saint-Patrick*). L'épidémie de choléra de 1832 fait 2000 victimes en un mois; puis, une épidémie de typhus se déclare en 1847. Entre 1831 et 1867, la ville devient en majorité anglophone. Deux pôles d'occupation se dessinent dès le XIXe siècle : l'Est francophone et l'Ouest anglophone. En 1806, les deux tiers de la population vivent dans les faubourgs et le reste, dans la vieille ville, où on ne compte plus que 12 % des citadins en 1850, reflet de l'exode bourgeois qui, en 1840, a suscité la création du « Mille carré doré[5] » dans la partie nord-ouest du quartier Saint-Antoine. En 1852, année où un incendie majeur dans le secteur du boulevard Saint-Laurent détruit 1200 maisons, jetant 10 000 personnes sur le pavé, Montréal compte 58 000 habitants.

---

5 Le *Golden Square Mile*, cette aire d'environ un mille carré entre la rue Sherbrooke et le parc du Mont-Royal, le chemin de la Côte-des-Neiges et la rue de Bleury, connaîtra un développement plus marqué avec la venue des magnats des chemins de fer et des usines, après 1860.

L'exode de la bourgeoisie se conjugue à celui des Églises et des communautés religieuses qui s'orientent vers d'autres secteurs de la ville (*couvent Villa Maria, Sœurs de Sainte-Anne*). La *cathédrale anglicane Christ Church*, rasée par les flammes en 1856, est reconstruite dans le quartier Saint-Antoine; l'Hôtel-Dieu déménage dans le quartier Saint-Laurent en 1860. Vers 1870, les *Sœurs grises* édifient leur couvent et l'Hôpital général entre la rue Guy et le boulevard Dorchester.

Le Canada moderne

La société montréalaise de la fin du XIXe siècle est dominée par les marchands et la bourgeoisie anglo-écossaise, où se côtoient des magnats de la finance, de l'industrie et du chemin de fer, comme *George Stephen* et *William Van Horne*. La compagnie de chemin de fer Canadien Pacifique, créée en 1881, établit son siège social à la *gare Windsor*, à Montréal.

L'élite n'exerce pas son influence seulement dans le monde de la finance, mais également dans le domaine de l'architecture. Ses goûts se reflètent dans les grandes résidences et les édifices publics inspirés des styles et des formes alors en vogue en Grande-Bretagne. *George-Étienne Cartier*, un « avocat brasseur d'affaires », incarne bien la bourgeoisie canadienne-française de l'époque.

Les nombreuses églises qui sont construites attestent la diversité des croyances religieuses (anglicane, catholique, juive, méthodiste, orthodoxe et presbytérienne) et le caractère cosmopolite de la population, même si, après 1867, Montréal redevient majoritairement francophone à cause de l'afflux des populations rurales.

Désormais reconnue comme la métropole du Canada, elle abrite 107 000 habitants en 1871. Entre 1875 et 1900, les effectifs britanniques (anglophones) augmentent, mais nombre d'Irlandais émigrent aux États-Unis ou en Ontario, en particulier des ouvriers et des journaliers. À la fin du siècle arrivent des Juifs d'Europe de l'Est et des Italiens (*arrondissement historique du boulevard Saint-Laurent*). Une multitude de banlieues apparaissent au cours de ces années et certaines sont annexées très tôt à la ville. Dernier grand fléau, une épidémie de variole fait 3000 morts en 1885.

Des membres de la bourgeoisie d'affaires s'efforcent de développer le port et d'améliorer ses installations afin de répondre aux transformations de la navigation. Les voiliers, en effet, sont graduellement remplacés par les bateaux à vapeur. On procède donc à plusieurs améliorations entre 1867 et 1896 : agrandissement des quais, creusage des bassins, accès des quais au chemin de fer à partir de 1871 et érection d'élévateurs à grains, par le Canadien Pacifique, en 1885. Comme des problèmes subsistent, les commissaires du Havre déposent, en 1877, un plan de réfection du port. Le projet ne sera accepté qu'en 1891 et mis en œuvre en 1896. Pourtant, avant 1887, Montréal supplante Québec comme terminus de la navigation océanique et fluviale. (*John Kennedy*)

MONTRÉAL EN TROIS TEMPS

Le port de Montréal vu de la maison de la Douane, vers 1874, Alexander Henderson.
Collection Parcs Canada, Centre de services du Québec.

27

Selon l'historien Jean-Claude Robert, « l'économie montréalaise atteint son apogée entre 1900 et 1950 [...] Montréal assure plus de la moitié de la production manufacturière du Québec et environ 17 % de celle du Canada. » La ville demeure la principale agglomération industrielle au pays, comme l'illustrent le secteur du *canal de Lachine,* avec ses minoteries, ses usines textiles (*Merchants Manufacturing Company*), son industrie métallurgique, la raffinerie de sucre Redpath et la présence des plus récentes technologies. Principal centre financier au pays, Montréal est aussi la plaque tournante du réseau de transport ferroviaire et maritime.

Les annexions amorcées à la fin du XIXe siècle se poursuivent. Un bilan de 1918 fait état de 31 fusions depuis 1883. La banlieue est aussi en expansion : à Outremont (*cimetière Mont-Royal, théâtre Rialto, théâtre Outremont*), à Westmount (*église Saint-Léon de Westmount*), à Hampstead et à Ville Mont-Royal.

Le paysage urbain se métamorphose avec la construction de gratte-ciel. En 1923, il en existe déjà une vingtaine entre

Le centre-ville de Montréal vu de l'île Sainte-Hélène, en 1996.
Photo : Denis Labine. Ville de Montréal. Gestion de documents et archives.
(VM94-1996-0255-070).

la place d'Armes et la rue Saint-Pierre. Le centre-ville s'étend alors du port à la rue Sherbrooke, entre les rues Berri et Guy. Le cœur de la ville demeure la place d'Armes qui abrite la Bourse, l'*hôtel de ville*, le palais de justice, les principales institutions financières, les sièges sociaux des grandes banques et d'innombrables bureaux. Mais les entreprises, par manque d'espace, se déplacent au nord-ouest, vers la rue Saint-Catherine, où se développe un second centre d'affaires. Certaines y construisent leur siège social, telle la Sun Life, au square Dominion en 1918, sous la présidence de *Thomas Bassett Macaulay*.

Dans l'ensemble, les désignations ne dépassent guère l'espace-temps de la Seconde Guerre mondiale. La commémoration de l'*arrondissement historique du boulevard Saint-Laurent*, lieu de rencontre et de fusion pour de multiples ethnies, permet toutefois de mieux comprendre le Montréal d'aujourd'hui. Durant la décennie 1950-1960, l'immigration provient de l'Europe du Sud; entre 1970 et 1980, elle vient des Caraïbes et de l'Extrême-Orient. En 1991, hormis les habitants d'ascendance française ou britannique, trois groupes prédominent : les Italiens, les Juifs et les Noirs; ils sont suivis des Grecs, des Chinois et des Portugais. Selon le recensement de cette année-là, 45 % de la population du Québec vit dans les limites de la région métropolitaine, un phénomène observable depuis 1976.

Le boulevard Saint-Laurent à l'angle de la rue Sainte-Catherine, vers 1910, Neurdein.
Musée McCord d'histoire canadienne, Montréal, MP-0000.816.1.

MONTRÉAL EN TROIS TEMPS

Les désignations d'importance historique nationale pour l'île de Montréal témoignent de la diversité et de la richesse du réseau des lieux historiques nationaux. Il est vrai cependant qu'on peut y déceler des lacunes, d'où l'importance de faire appel au public, principal initiateur des demandes de désignation. Nous espérons que ce guide patrimonial aidera les personnes intéressées à formuler leurs requêtes auprès de la Commission afin de bonifier le réseau et d'accéder à une meilleure compréhension de notre histoire et de notre héritage patrimonial[6].

Montréal représente toujours une ville clé au pays, un centre de polarisation régional, culturel et financier. Il n'y a pas si longtemps, elle a été à l'origine de manifestations internationales d'envergure, dont l'Exposition universelle en 1967 et les Jeux olympiques en 1976. Depuis la récente fusion des municipalités de l'île, Montréal vit des changements importants. Nous vous invitons donc, à la lumière de ce rappel historique et des sections qui suivent, à découvrir — ou redécouvrir —

Montréal, une ville d'histoire.

Rémi Chénier

---

6 Pour plus de renseignements ou pour proposer un sujet de commémoration, il faut communiquer avec le Secrétaire exécutif, Commission des lieux et monuments histor. du Canada, Gatineau (Québec) K1A 0M5.
On peut aussi visiter le site Internet suivant : http://www.parkscanada.pc.gc.ca

Le centre-ville de Montréal vu du mont Royal, en 1993.
Photo : Denis Labine. Ville de Montréal. Gestion de documents et archives.
(VM94-1993-330-063).

Abréviations et lectures complémentaires

AN, AC - France, Archives nationales, Archives des colonies
ANC - Archives nationales du Canada
ANQQ - Archives nationales du Québec à Québec
BNQ - Bibliothèque nationale du Québec

Il existe plusieurs synthèses de l'histoire de Montréal. Même si elle remonte à un certain temps, celle de Raoul Blanchard, *L'ouest du Canada français, Montréal et sa région* (Montréal, Beauchemin, 1953) conserve son intérêt. L'œuvre de Robert Rumilly, *Histoire de Montréal* (Montréal, Fides, 1970) est plus accessible. Jean-Claude Robert nous a livré, il y a quelques années, une synthèse magistrale dans son *Atlas historique de Montréal* (Montréal, Art global/Libre Expression, 1994).

Pour des données biographiques, on se référera au *Dictionnaire biographique du Canada* (Québec, Presses de l'Université Laval, 1966), qui comprend à ce jour quatorze volumes. Sur l'architecture, en plus de l'ouvrage de Jean-Claude Marsan, *Montréal en évolution*, consulter les volumes de Guy Pinard, *Montréal : son histoire, son architecture*, tomes 1 à 6 (Montréal, *La Presse* et Éditions du Méridien, 1986-) ainsi que le *Répertoire d'architecture traditionnelle sur le territoire de la Communauté urbaine de Montréal*, publié en plusieurs volumes à partir de 1981.

Enfin, il faut jeter un coup d'œil aux sites Internet, en particulier celui du Vieux-Montréal (http://www.vieux.montreal.qc.ca), dont la qualité est excellente.

(http://www.vieux.montreal.qc.ca)

Ce condensé s'inspire de la *Terminologie des styles pour rédiger les textes des plaques commémoratives,* élaborée en 1991 par la Direction de l'histoire de l'architecture, Lieux historiques nationaux, Service des Parcs, Environnement Canada. Il fait également appel à *L'architecture du Canada. Guide des styles d'architecture antérieurs au XXe siècle,* de Barbara A. Humphreys et Meredith Sykes, de Parcs Canada, et publié par Sélection du Reader's Digest en 1980.

Il s'avère difficile d'attribuer un cycle de vie précis à certains styles, car les nombreux spécialistes diffèrent souvent d'opinion à ce sujet. Il en est de même pour les multiples appellations que l'on peut donner à un style en particulier ou à ses variantes : par exemple, à l'italienne, néo-italien, villa toscane, néovénitien... sont autant de noms désignant le style néo-Renaissance. Le lecteur trouvera des glossaires ou des vocabulaires architecturaux dans plusieurs ouvrages, notamment ceux de Guy Pinard, *Montréal : son histoire, son architecture.*

Art déco
(vers 1920-1940)

Créé en France, mais dont les réalisations les plus durables se trouvent en Amérique du Nord, particulièrement par des architectes canadiens-français, ce style privilégie les formes géométriques et aérodynamiques. Il utilise des surfaces dépouillées, des décors sobres, des détails classiques, égyptiens ou aztèques. Il fait également appel à des bas-reliefs à caractère symbolique ou nationaliste et à des matériaux de couleur pâle.

Exemple : le théâtre Outremont.

Arts and Crafts
(deuxième moitié du XIXe siècle)

Ce mouvement a vu le jour vers 1850 en Angleterre. Il est issu du style néogothique et des écrits de John Ruskin. Ses adeptes proposent de revenir à une architecture épurée, valorisant les traditions régionales, les pratiques artisanales et les matériaux locaux pour que le bâtiment soit en harmonie avec son environnement. Les plus grands architectes canadiens de la fin du XIXe siècle, dont les frères Edward et William Maxwell, George T. Hyde et Percy Erskine Nobbs, en adopteront les principes.

Exemple : maisons de l'arrondissement historique de Senneville.

Néobaroque
(vers 1870-1930)

Ce style, inspiré de l'architecture baroque française présente en Nouvelle-France au XVIIe siècle et au XVIIIe siècle, se caractérise par une ornementation abondante aux motifs souvent puisés dans la nature. Ses principaux éléments sont les colonnes, les pilastres, les dômes, les frontons et les toits en pente raide percés de lucarnes au sommet arrondi. Les édifices les plus imposants ont une cour centrale.

Exemple : la basilique-cathédrale Marie-Reine-du-Monde.

Beaux-Arts
(presque tout le XXe siècle)

Ce style apparu en France a donné lieu à des compositions grandioses. Parmi ses principales caractéristiques, à noter les façades symétriques, l'organisation spatiale fonctionnelle et les éléments décoratifs classiques, en particulier les colonnes, visant à donner un effet monumental à l'édifice. La variante *baroque* prend sa source en Angleterre et a recours à des composantes comme les frontons arrondis ou brisés et la pierre de taille à laquelle on donne une multitude d'effets sculptés.

Exemple : le Masonic Memorial Temple.

Byzantin
(fin du XIXe siècle
et début du XXe siècle)

Ce style s'applique surtout aux églises. Il utilise des attributs de l'architecture byzantine. Il a recours, en particulier, aux dômes et aux coupoles.

Exemple : l'église antiochoise orthodoxe St. George.

Éclectique
(1880-1900)

L'éclectisme combine, en façade, des styles de différentes époques et de divers pays afin de produire un effet visuel marqué. Il est aussi caractérisé par une prolifération des formes nouvelles, complexes et fantaisistes, l'irrégularité des plans et l'emploi simultané de plusieurs couleurs.

Exemple : le Monument-National.

LES STYLES ARCHITECTURAUX

Néoclassique
(vers 1820-1860)

Influencé par l'Angleterre et la France, le néoclassicisme emprunte aux formes architecturales de l'Antiquité gréco-romaine. Parmi ses principaux traits distinctifs, à noter la composition symétrique, l'ornementation sobre, la maçonnerie cannelée, les arcades aveugles, les étages rustiqués à toit plat. Il en existe une variante néogrecque, que l'on reconnaît à ses colonnes doriques sans base ou à la forme du temple grec avec rangée de colonnes en façade.

Exemple : le marché Bonsecours.

Néogothique
(de 1820 au début du XXᵉ siècle)

L'arc en ogive constitue le principal attribut de ce style qui réactualise l'architecture médiévale. Les autres traits marquants sont les contreforts, les toits à pente raide, les clochetons, les crénelures, les souches de cheminée décoratives et les pignons de formes variées. Ce style connaît plusieurs variantes selon l'utilisation de détails médiévaux ou la combinaison d'éléments issus de pays ou de périodes historiques divers ainsi que dans la variété des matériaux de construction utilisés.

Exemple : la cathédrale Christ Church.

Néo-Queen Anne
(vers 1870-1880 jusqu'à la Première Guerre mondiale)

Le style néo-Queen Anne a surtout influencé l'architecture des maisons privées et, à un degré moindre, celle des édifices de loisirs et de villégiature. Il se caractérise par l'asymétrie du plan et la composition de formes, de matériaux et de couleurs pour créer un effet pittoresque. Puisés dans les traditions classique et médiévale, les détails décoratifs abondent (frontons sculptés, cheminées ornées, pignons aigus, corniches moulurées), tout comme les volumes en saillie et en retrait (ailes, baies, vérandas, balcons et porches).

Exemple : la maison H.-Vincent-Meredith.

Néo-Renaissance
(de 1840 à 1870)

Les constructions de ce style se distinguent surtout par une façade très articulée, ornée de motifs sculptés qui créent des jeux d'ombre et de lumière, et couronnée d'une large corniche à consoles ouvragées. Les fenêtres sont souvent cintrées ou surmontées de petits frontons arrondis ou triangulaires. Les étages, clairement divisés, comportent trois parties : le soubassement, le rez-de-chaussée et l'étage mansardé.

Exemple : l'ancienne maison Stephen.

Néoroman
(milieu du XIXe siècle et 1880-1890)

La phase initiale du néoroman marque un retour aux éléments de l'architecture normande et lombarde du XIIe siècle. À la fin du XIXe siècle, on y décèle surtout l'influence de l'architecte américain H.H. Richardson. À noter : les colonnes courtes, les corbeaux sous l'avant-toit, les surfaces polychromées et fortement ouvragées, les chapiteaux sculptés de motifs géométriques, floraux et sinueux.

Exemple : l'église Erskine and American.

Palladien
(à partir des années 1750 jusque vers 1830)

Ce style s'inspire de l'architecture classique anglaise du XVIIIe siècle, elle-même influencée par les traités d'Andrea Palladio, architecte italien de la Renaissance. À remarquer : le plan et l'élévation symétriques, les avant-corps, les ailes latérales, les frontons triangulaires, les fenêtres serliennes (en trois sections, dont celle du centre est arrondie), les portes flanquées de pilastres et surmontées d'une imposte semi-circulaire ou d'un petit fronton. Le palladianisme emprunte de multiples éléments décoratifs à la Grèce et à la Rome antiques : feuilles d'acanthe, colonnes doriques sans base, colonnes ioniques antiques, entablement imposant.

Exemple : l'ancien édifice de la Douane.

Second Empire
(années 1870-1880)

D'inspiration française, ce style a comme signe distinctif le toit en mansarde. Les lucarnes, les fenêtres cintrées, les amples corniches soutenues par des consoles proéminentes sont au nombre de ses caractéristiques. Les édifices de grande taille ont une composition symétrique et sont dotés de pavillons en saillie.

Exemple : l'hôtel de ville de Montréal

Vernaculaire

L'architecture vernaculaire est une adaptation régionale de styles plus purs au moyen de techniques de construction ou de matériaux locaux. Au Québec, les toits à croupes à pente aiguë et les fenêtres à battants font partie de l'héritage de la période coloniale française. Ils sont aussi typiques que les escaliers métalliques extérieurs des logis montréalais du XIXe siècle et du XXe siècle.

LES STYLES ARCHITECTURAUX

LE VIEUX-MONTRÉAL

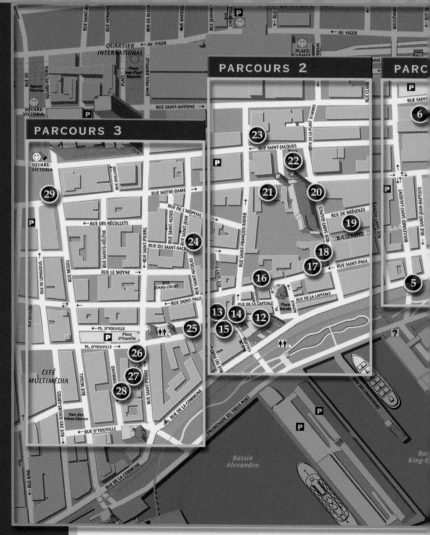

PARCOURS **1** 2 3

LE VIEUX-MONTRÉAL

La maison Cartier
(les résidences Cartier)

Érigée vers 1837, cette demeure de la rue Notre-Dame représente bien un type de maisons jumelées construites dans le Vieux-Montréal au XIXe siècle. L'illustre homme d'État canadien George-Étienne Cartier en occupa la partie est de 1848 à 1855, puis la partie ouest de 1862 à 1872. Propriété de Parcs Canada depuis 1973, cette maison abrite aujourd'hui le lieu historique national du Canada de Sir-George-Étienne-Cartier, lequel commémore la carrière politique de ce grand personnage.

Année de désignation : 1964
Emplacement : plaque apposée au lieu historique national du Canada de Sir-George-Étienne-Cartier, 456-462, rue Notre-Dame Est, à l'angle de la rue Berri.

① La maison Cartier (les résidences Cartier). Une partie de la maison est et la maison ouest, vers 1885-1890, selon un tableau de Georges Delfosse peint vers 1937.
Ville de Montréal. Gestion de documents et archives. A-656-122.
Photo : Robert Piette, Parcs Canada, Québec, 1984.

Le premier train transcontinental

Le 28 juin 1886, l'ancienne gare Dalhousie, qui loge actuellement l'École nationale de cirque, est le point de départ du premier train transcontinental canadien. Le Canadien Pacifique ne met que quatre années pour construire le réseau ferroviaire entre Montréal et Port Moody, en Colombie-Britannique. À l'exclusion des arrêts, ce parcours peut être accompli en cinq jours, à une vitesse moyenne de trente-huit kilomètres à l'heure. Désormais doté d'un système de transport ferroviaire indépendant, le Canada entre dans une ère nouvelle.

Année de désignation : 1939
Emplacement : plaque apposée à droite de l'entrée du 417, rue Berri, à l'angle de la rue Notre-Dame.

② Arrivée du premier train de voyageurs à Port Moody en provenance de Montréal, 4 juillet 1886.
Archives du Canadien Pacifique, NS.19991.

Le marché Bonsecours

Symbole de l'essor et de la prospérité de la métropole, particulièrement au XIXe siècle, le marché Bonsecours a longtemps été la structure la plus imposante offerte à la vue des voyageurs à leur arrivée dans le port de Montréal. Cet édifice de style néoclassique est l'œuvre de l'architecte William Footner. Démis de ses fonctions, Footner est remplacé par George Browne. La construction de ce bâtiment remarquable, reconnaissable à son dôme, s'échelonne de 1844 à 1860. L'édifice accueille le Parlement canadien en 1849 puis le Conseil municipal jusqu'en 1878. Au cours de son histoire, ce marché public a, entre autres, abrité une salle de concert de 3000 places, une école militaire et les quartiers des Fusiliers Mont-Royal.

Année de désignation : 1984
Emplacement : 350, rue Saint-Paul Est.
Plaque à venir.

③ Le marché Bonsecours, vers 1880.
Collection Parcs Canada, Centre de services du Québec.

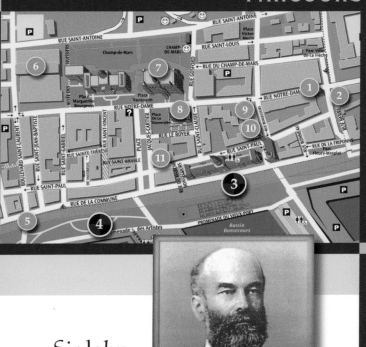

Sir John Kennedy (1838-1921)

Originaire de Spencerville, dans le comté de Grenville (Haut-Canada), John Kennedy commence sa carrière en 1863 comme apprenti chez T.C. Keefer puis comme aide-arpenteur pour la Ville de Montréal. De 1875 à 1907, il occupe le poste d'ingénieur en chef à la Commission du port de Montréal. À ce titre, il réalise deux importants ouvrages qui établiront sa notoriété : le dragage du Saint-Laurent, entre Montréal et Québec, et le réaménagement du port de Montréal. Il a, ainsi, contribué à l'essor de la métropole canadienne. En 1892, il assume la présidence de la Société canadienne de génie civil, dont il est un des membres fondateurs. Son apport à sa discipline et l'excellence de ses réalisations lui ont valu plusieurs titres honorifiques, tant canadiens que britanniques. À son décès en 1921, il jouissait d'une grande renommée au sein de sa profession.

Année de désignation : 2000
Emplacement proposé : Vieux-Port de Montréal, dans le parc, entre la rue de la Commune et la promenade des Artistes.
Plaque à venir.

LE VIEUX-MONTRÉAL

John Kennedy, vers 1892.
Transactions of the Canadian Society for Civil Engineering, vol. 6 (1892).

5a

L'arrondissement historique du boulevard Saint-Laurent (la « Main »)

Le boulevard Saint-Laurent, communément appelé la « Main », est une artère empreinte de magnétisme. Dès 1825, il constitue l'axe d'affaires nord-sud le plus important de l'île de Montréal. Attirés par cette prospérité économique, plusieurs vagues d'immigrants viendront élire domicile dans cette rue et se tailler une place dans la société canadienne.

Aujourd'hui encore, la « Main » fascine par son caractère cosmopolite et l'atmosphère effervescente que crée la proximité de nombreux commerces, manufactures, restaurants, institutions culturelles et récréatives. Ses villages, tels le quartier juif, le quartier chinois et la Petite Italie, font partie d'un « corridor historique national », un tronçon de six kilomètres qui s'étend du fleuve à la rue Jean-Talon.

Année de désignation : 1996
Emplacement proposé : deux plaques; l'une près du fleuve et l'autre à l'angle de la rue Jean-Talon.
Plaques à venir.

5a Le boulevard Saint-Laurent à l'angle de la rue Sherbrooke, vers 1910, Neurdein.
Musée McCord d'histoire canadienne, Montréal, MP-0000.816.5.

5b

5b   Affiche illustrant la diversité et le caractère cosmopolite qui animent le boulevard Saint-Laurent. Bernard Pelletier, Parcs Canada, Québec, septembre 2002.

5c   Le boulevard Saint-Laurent à l'angle de la rue Craig (Saint-Antoine), vers 1895, William Notman & Son. Musée McCord d'histoire canadienne, Montréal, VIEW-2698.

Sir Louis-Hippolyte LaFontaine (1807-1864)

6

Le nouveau palais de justice de Montréal abrite la bibliothèque du barreau dans laquelle est apposée une plaque commémorant la carrière de sir Louis-Hippolyte LaFontaine, éminent politicien et jurisconsulte du XIXᵉ siècle. Sa carrière politique fut empreinte de justice et de sagesse. En guise de solidarité envers ses compatriotes canadiens-français, LaFontaine fit un acte historique quand, en 1842, il prononça en français son premier discours devant le Parlement du Canada-Uni. Il se retira de la scène politique en 1851 pour se consacrer à la pratique du droit.

Année de désignation : 1937
Emplacement : plaque apposée à la bibliothèque du barreau,
au 17ᵉ étage du palais de justice de Montréal, 10, rue Saint-Antoine Est,
à l'angle du boulevard Saint-Laurent.

L'hôtel de ville de Montréal

7

Au XIXᵉ siècle, Montréal est le centre urbain le plus important du Canada et le premier à ériger un hôtel de ville monumental. Cet édifice, construit entre 1872 et 1878, est un exemple classique de bâtiment canadien exécuté dans le style Second Empire. Un incendie détruit la majeure partie du bâtiment en 1922, n'épargnant que les murs extérieurs en pierre. L'intérieur est entièrement refait et le nouvel hôtel de ville, décoré avec faste, est inauguré en 1926. Maintes fois le théâtre d'événements marquants, il demeure au cœur de la vie sociale et politique de la métropole. À cause de son histoire et de sa valeur architecturale indéniable, l'hôtel de ville constitue l'un des biens culturels les plus éloquents du Vieux-Montréal et de notre patrimoine.

Année de désignation : 1984
Emplacement : 275, rue Notre-Dame Est, à l'angle de la rue Gosford.
Plaque à venir.

6 Sir Louis-Hippolyte LaFontaine, photographie d'un portrait, 1905, Albert Ferland. ANC, C-005961.
7 L'hôtel de ville de Montréal et le marché Jacques-Cartier en 1898. BNQ, Albums E.-Z. Massicotte, Albums de rues, 2-117-a.

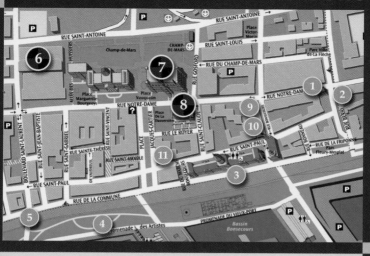

Le château Ramezay

LE VIEUX-MONTRÉAL

C'est en l'honneur de son premier propriétaire, Claude de Ramezay, gouverneur de Montréal, que l'on donne en 1903 le nom de château à cet édifice. Comme le bâtiment érigé en 1705 connaît de nombreuses transformations jusqu'à nos jours, l'identification des éléments architecturaux d'origine demeure problématique. Parmi ses occupants les plus célèbres, mentionnons la Compagnie des Indes occidentales (de 1745 à 1763), les gouverneurs généraux (de 1773 à 1844) et le Conseil exécutif (en 1839). Le musée a été fondé par la Société d'archéologie et de numismatique de Montréal en 1895.

Année de désignation : 1949
Emplacement : plaque apposée à droite de l'entrée, 280, rue Notre-Dame Est.

8 Le château Ramezay, vers 1903.
Carte postale, collection Parcs Canada, Centre de services du Québec.

Louis-Joseph Papineau (1786-1871)

Ce personnage mythique est considéré comme le plus grand homme politique canadien de la première moitié du XIXᵉ siècle et comme le père du nationalisme canadien-français. Il est élu député du comté de Kent (Chambly) en 1808, amorçant ainsi une longue carrière politique qui ne prendra fin qu'en 1854. Chef du Parti canadien (Parti patriote à partir de 1826), il accède à la présidence de la Chambre d'assemblée du Bas-Canada en 1815. Il s'y fait l'ardent défenseur des droits des Canadiens français et le promoteur de la responsabilité ministérielle. Reconnu pour son charisme et son éloquence, Papineau est l'âme dirigeante de la Rébellion de 1837-1838, dont l'échec l'obligera à s'exiler aux États-Unis, puis en France jusqu'en 1845. De retour en politique en 1848, il exerce un rôle plutôt secondaire, s'intéressant davantage à l'exploitation de sa seigneurie de la Petite-Nation. Il s'éteint dans son manoir de Montebello à l'âge de 85 ans. Encore aujourd'hui, l'expression « la tête à Papineau » désigne une personne d'une grande intelligence.

Année de désignation : 1937
Emplacement proposé : 440, rue Bonsecours.
Plaque à venir.

La maison Cartier

La construction de la maison Cartier est le résultat d'une opération de spéculation foncière à une époque où les logements temporaires à prix modique étaient très en demande. Érigée en 1812-1813 sur la place Jacques-Cartier, elle illustre un type d'architecture urbaine du début du XIXᵉ siècle au Québec. Ses matériaux, ses proportions, sa toiture et ses murs coupe-feu en constituent les traits distinctifs. Utilisée durant la majeure partie de son existence pour l'hébergement, comme auberge ou comme taverne, elle était occupée jusqu'à récemment par un restaurant.

Année de désignation : 1982
Emplacement : 407-413, place Jacques-Cartier, voisin de l'Hôtel Nelson.
Plaque à venir.

⑨ Louis-Joseph Papineau en 1832, par R.A. Sproule.
ANC, C-005462.
⑪ La maison Cartier (au centre), place Jacques-Cartier, au milieu du XIXᵉ siècle.
Collection Parcs Canada, Centre de services du Québec.

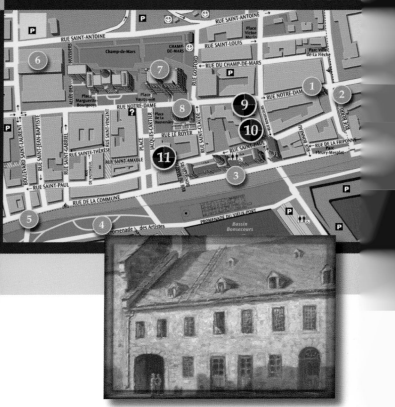

La maison Papineau

Le colonel John Campbell, commissaire responsable des « Indiens » dans le district de Montréal, construit en 1785 cette maison de la rue Bonsecours. En 1809, sa veuve la vend à Joseph Papineau qui la cède à son fils Louis-Joseph en 1814. Ce célèbre personnage y habite à intervalles irréguliers. Les travaux qu'il entreprend en 1831 changeront considérablement l'aspect du bâtiment, tant à l'intérieur qu'à l'extérieur. Entre autres modifications, il prolonge la structure jusqu'à l'immeuble voisin, aménage une porte cochère et exhausse la façade, sur laquelle on pose un revêtement de bois qui imite la pierre de taille. Cette demeure connaîtra plusieurs vocations, dont celle d'hôtel. Le journaliste Eric McLean l'acquiert en 1961 et consacre plusieurs années à la remettre dans l'état où elle apparaissait du temps de Papineau. McLean, décédé récemment, fait figure de pionnier. Ses travaux ont donné une impulsion décisive au mouvement de sauvegarde et de mise en valeur du Vieux-Montréal.

Année de désignation : 1968
Emplacement : 440, rue Bonsecours.
Plaque à venir.

La maison Papineau selon un tableau de Georges Delfosse peint vers 1937.
Ville de Montréal. Gestion de documents et archives. A-656-7.

Aux origines de Montréal

Connu des Autochtones des siècles avant l'arrivée des Européens, le site de la pointe à Callière voit naître Montréal. C'est ici que Maisonneuve fonde Ville-Marie en 1642 et qu'il fait construire un fort, un an plus tard. Louis-Hector de Callière, troisième gouverneur de la ville, y aura sa résidence vers 1688, d'où le choix du toponyme. Ce lieu sera aussi le témoin de la transformation de Montréal en l'une des grandes métropoles du Canada. Le Musée d'archéologie et d'histoire de Montréal, érigé sur le site même, raconte cette fascinante épopée.

Année de désignation : 1924
Emplacement : plaque apposée au Musée d'archéologie et d'histoire de Montréal, Pointe-à-Callière, 350, place Royale.

La Grande Paix de Montréal

À l'été 1701, une conférence de paix réunit à Montréal 1300 chefs, ambassadeurs et délégués autochtones et plusieurs dignitaires de la colonie, dont le gouverneur Louis-Hector de Callière. Un traité est ratifié le 4 août par des représentants de la Nouvelle-France, la Ligue iroquoise des Cinq-Nations (sauf les Agniers) et plus d'une trentaine de Premières nations alliées aux Français. Il met fin à près d'un siècle de conflits et instaure la paix sur une vaste région qui s'étend de l'Acadie au lac Supérieur et de la rivière des Outaouais au confluent du Mississipi et du Missouri. Cette paix générale exercera une influence profonde et durable sur les relations entre les Premières nations; on s'y référera encore en 1798.

Année de désignation : 2000
Emplacement proposé : place de la Grande-Paix, près du Musée d'archéologie et d'histoire de Montréal, Pointe-à-Callière, 350, place Royale; plaque à venir.

12 **Bas-relief du monument de Maisonneuve, sur la place d'Armes, illustrant la fondation de Ville-Marie, 1895, Louis-Philippe Hébert.** Photo : Rémi Chénier, Parcs Canada, Québec, 2002
13 **Timbre commémoratif de la Grande Paix de Montréal émis le 3 août 2001.** « © Société canadienne des postes, 2001. Reproduit avec permission ».

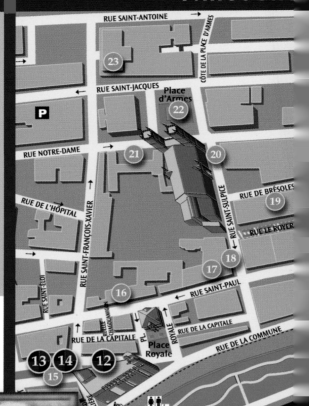

RUE SAINT-ANTOINE
CÔTE DE LA PLACE D'ARMES
RUE SAINT-JACQUES
Place d'Armes
22
23
P
RUE NOTRE-DAME
21
20
RUE DE L'HÔPITAL
RUE SAINT-FRANÇOIS-XAVIER
RUE DE BRÉSOLES
19
RUE LE ROYER
RUE SAINT-SULPICE
18
17
RUE SAINT-ÉLOI
16
RUE SAINT-PAUL
RUELLE CHAGOUAMIGON
RUE DE LA CAPITALE
RUE DE LA CAPITALE
PL. ROYALE
Place Royale
RUE DE LA COMMUNE
13 14 12
15
RUE DE LA CALLIÈRE

Louis-Hector de Callière
14 (1648-1703)

Callière naît en Normandie le 12 novembre 1648. Il entre dans l'armée vers 1664 et prend part à plusieurs des campagnes de Louis XIV. En 1684, il devient gouverneur de Montréal. Doué d'une vive intelligence, il se révèle un fin négociateur avec les Amérindiens. En tant que gouverneur général de la Nouvelle-France à partir de septembre 1699, il doit instaurer une paix durable entre les Iroquois, les nations amérindiennes alliées et la colonie. Avec Kondiaronk, il est un des grands artisans de la paix générale de 1701. Il meurt à Québec le 26 mai 1703 à la suite d'une hémorragie interne. Plusieurs délégués des nations amérindiennes viendront à Montréal pleurer sa perte et renouveler leur allégeance au traité de 1701. Selon un de ses biographes, « jamais, au cours de l'histoire de la colonie, la monarchie française n'eut serviteur plus capable et plus dévoué. »

Année de désignation : 2000
Emplacement proposé : place de la Grande-Paix, près du Musée d'archéologie et d'histoire de Montréal, Pointe-à-Callière, 350, place Royale; plaque à venir.

13 Louis-Hector de Callière.
ANQQ, Livernois, s.d., P560, S2, P166085.

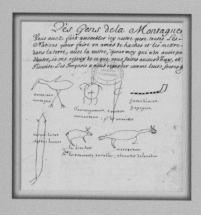

Kondiaronk (vers 1625-1701)

Un des chefs des Wyandots de Michillimakinac, Kondiaronk (surnommé « le Rat » par les Français) est considéré comme le principal artisan de la Grande Paix de Montréal. C'est grâce à lui si autant de nations autochtones ont participé aux pourparlers de juillet 1701. C'est aussi grâce à ses talents de diplomate et d'orateur que le traité de la Grande Paix sera signé. Malgré une violente fièvre, Kondiaronk livre, le 1er août 1701, un discours capital pour l'avenir de la paix. Peu après, il est transporté à l'hôpital de la ville, où il meurt le lendemain matin. Ses funérailles, grandioses, ont lieu le 3 août et sa dépouille est inhumée dans l'église de Montréal. Il ne reste plus de trace de sa tombe. Il repose quelque part sous la place d'Armes ou dans son voisinage immédiat.

Année de désignation : 2000
Emplacement proposé : place de la Grande-Paix, près du Musée d'archéologie et d'histoire de Montréal, Pointe-à-Callière, 350, place Royale.
Plaque à venir.

L'ancien édifice de la Douane

Situé à proximité du fleuve, sur la place la plus fréquentée du Vieux-Montréal depuis le XVIIe siècle, ce bâtiment de style palladien demeure un prestigieux témoin de l'activité commerciale et portuaire de la ville. Il abrite le Service des douanes jusqu'en 1871. Malgré d'importants travaux d'agrandissement effectués en 1881 et 1882, l'extérieur conserve son aspect harmonieux. Depuis 1992, l'ancienne douane est intégrée au Musée d'archéologie et d'histoire de Montréal.

Année de désignation : 1997
Emplacement : 150, rue Saint-Paul Ouest.
Plaque à venir.

15 Signature du Rat, Kondiaronk, au bas du traité de paix de 1701, à gauche.
Reproduit à partir de AN, AC, C11A, vol. 19, fol. 43.
16 L'édifice de la Douane en 1886, George Charles Arless.
Musée McCord d'histoire canadienne, Montréal, MP-0000.236.4.

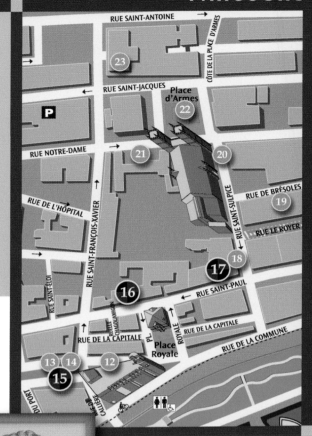

15
16
17

Jean-Baptiste Le Moyne de Bienville
(1680-1767)

17

Né à Montréal en 1680, Jean-Baptiste Le Moyne de Bienville est issu d'une famille dont plusieurs membres laisseront leur marque dans l'histoire du Canada. Bienville entre dans les gardes-marine en 1692 et sert aux côtés de son frère aîné, Pierre Le Moyne d'Iberville, lors de plusieurs expéditions militaires, notamment sur le Mississipi. En 1701, il est nommé commandant du fort Biloxi. Entre 1701 et 1742, il agit comme gouverneur de la Louisiane à quatre reprises. Au cours de sa carrière, il fonde les villes de Mobile, d'Alabama et de La Nouvelle-Orléans. C'est d'ailleurs dans cette dernière ville qu'on a érigé une splendide statue en son honneur. Jean-Baptiste Le Moyne de Bienville a fait de la Louisiane un foyer de la culture française en Amérique. Le « père de la Louisiane » s'est éteint à Paris en 1767.

Année de désignation : 1953
Emplacement proposé : sur le site de sa maison natale, 402-404, rue Saint-Sulpice, à l'angle de la rue Saint-Paul Ouest; plaque à venir.

LE VIEUX-MONTRÉAL

(17) Jean-Baptiste Le Moyne de Bienville.
Portrait publié dans Benjamin Sulte, *Histoire des Canadiens-Français, 1608-1880*, Montréal, Wilson & Cie, 1882-1884, tome 5.

Pierre Le Moyne, sieur d'Iberville (1661-1706)

Soldat, capitaine de vaisseau, explorateur et trafiquant, Iberville est un des plus célèbres fils de la Nouvelle-France. Entre 1682 et 1697, il se distingue dans plusieurs campagnes militaires destinées à chasser les Anglais du lucratif commerce des fourrures à la baie d'Hudson.

Il prend part à de nombreux raids victorieux en Acadie, à Terre-Neuve et contre les postes anglais de la côte atlantique. Mises en confiance par ses exploits, les autorités lui confient la mission de découvrir l'embouchure du Mississipi et d'y établir des postes permanents. Iberville meurt à La Havane en 1706, après avoir mené une campagne de harcèlement contre les établissements anglais des Antilles.

Année de désignation : 1936
Emplacement : plaque apposée sur l'édifice sis au 402-404, rue Saint-Sulpice, à l'angle de la rue Saint-Paul Ouest.

Jeanne Mance (1606-1673)

L'Hôtel-Dieu de Montréal, construit vers 1645, est une des plus importantes réalisations de Jeanne Mance, celle que l'on surnomme l'« ange de la colonie ». Sa contribution comme cofondatrice de Montréal est tout aussi exceptionnelle. Grâce à ses qualités d'organisatrice et de diplomate, elle sauve à maintes reprises la jeune colonie de la ruine financière et des attaques iroquoises. Elle est à la fois fondatrice, administratrice et « infirmière-médecin » de l'Hôtel-Dieu, où elle dispense des soins aux malades et aux blessés. Jeanne Mance est considérée comme « la première infirmière laïque au Canada. »

Année de désignation : 1998
Emplacement proposé : Le Cours Le Royer, entre les rues Saint-Sulpice et Saint-Didier. Plaque à venir.

(18) Pierre Le Moyne d'Iberville, gravure de Frédéric Auguste La Guillermie (1841-1934). ANC, C-001349.
(19) Jeanne Mance, par Dugardin, seconde moitié du XIXe siècle. Collection des religieuses hospitalières de Saint-Joseph de Montréal, 984X618.

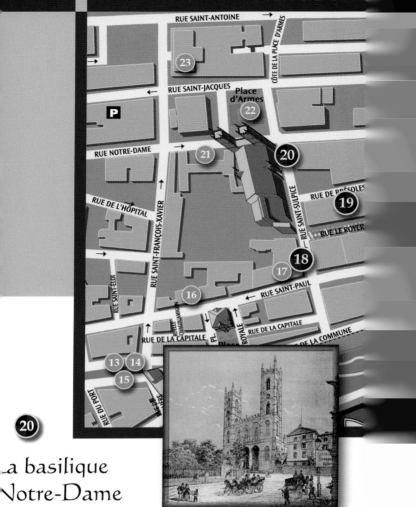

La basilique Notre-Dame

Sans contredit le repère visuel le plus important du Vieux-Montréal, cette église s'insère au cœur d'un complexe religieux qui comprend aussi un musée, un presbytère, une chapelle et une sacristie. Elle a remplacé la première véritable église de Montréal, achevée en 1683. Chef-d'œuvre du style néogothique au Canada, Notre-Dame est édifiée entre 1824 et 1829 par James O'Donnell, architecte d'origine irlandaise. À sa mort, John Ostell prend la relève. Il érige les deux tours de la façade selon les plans de son prédécesseur. La tour ouest, *La Persévérance*, est terminée en 1841; celle de l'est, *La Tempérance*, en 1843. Le magnifique décor intérieur actuel, de renommée mondiale, a été conçu par Victor Bourgeau et réalisé entre 1872 et 1884. La chapelle du Sacré-Cœur (1888-1891) est l'œuvre des architectes Perrault et Mesnard. Ravagée par un incendie en 1978, elle sera restaurée de 1979 à 1982. L'église Notre-Dame a été élevée au rang de basilique mineure le 21 avril 1982 par le pape Jean-Paul II.

Année de désignation : 1989
Emplacement : 116, rue Notre-Dame Ouest.
Plaque à venir.

(20) Église paroissiale de Notre-Dame, Montréal, mai 1870, William Augustus Leggo et Cie.
BNQ, *L'Opinion publique*, vol. 1, nº 19, p. 149 (12 mai 1870).

Le jardin du Séminaire de Saint-Sulpice

Dans une mer urbaine subsiste un lieu dont l'origine remonte au milieu du XVIIᵉ siècle : le jardin du Séminaire de Saint-Sulpice. Suivant la tradition monastique, les Messieurs de Saint-Sulpice aménagent cet espace près de leur séminaire pour s'y recueillir et y cultiver fruits et légumes. La disposition géométrique des allées, qui alternent avec les pelouses et convergent vers une statue centrale, emprunte aux traditions française et sulpicienne de la Renaissance. Dernier survivant de l'époque coloniale française, ce jardin est un des plus anciens aménagements du genre au Canada.

Année de désignation : 1981
Emplacement proposé : Séminaire de Saint-Sulpice, 116, rue Notre-Dame Ouest. Plaque à venir.

Paul de Chomedey de Maisonneuve (1612-1676)

Maisonneuve naît en février 1612 non loin de Troyes, en Champagne. Sous l'égide de la pieuse Société de Notre-Dame de Montréal, il établit une colonie missionnaire au Canada et fonde Ville-Marie le 17 mai 1642. Premier gouverneur de l'île de Montréal, il défend âprement les intérêts de la colonie jusqu'à son retour définitif en France, à l'automne 1665. Il meurt à Paris en 1676. Il n'existe aucun portrait authentique de Maisonneuve. La statue élevée à sa mémoire sur la place d'Armes en 1895 est l'œuvre du sculpteur Louis-Philippe Hébert.

Année de désignation : 1985
Emplacement : plaque apposée sur une stèle, place d'Armes, face à la basilique Notre-Dame, au 116, rue Notre-Dame Ouest.

21 Les jardins du Séminaire de Saint-Sulpice, sans date.
BNQ, Albums E.-Z. Massicotte, Albums de rues, 4-15-c.
22 Détail du monument à la mémoire de Paul de Chomedey de Maisonneuve par Louis-Philippe Hébert, 1895. Photo : Raymond Gagnon, Ville de Montréal, VM94-1993-632-67.

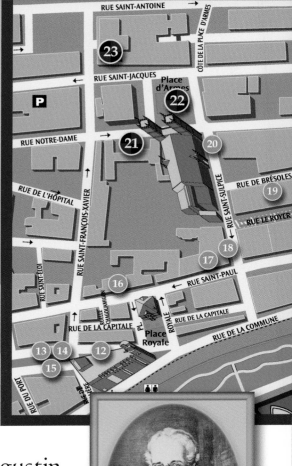

RUE SAINT-ANTOINE

CÔTE DE LA PLACE D'ARMES

23

RUE SAINT-JACQUES

Place d'Armes

22

P

RUE NOTRE-DAME

21

20

RUE DE L'HÔPITAL

RUE SAINT-SULPICE

RUE DE BRÉSOLES

19

RUE SAINT-FRANÇOIS-XAVIER

RUE LE ROYER

18

17

RUE SAINT-ÉLOI

RUE SAINT-PAUL

16

RUELLE CHAGOUAMIGON

RUE DE LA CAPITALE

PL. ROYALE

RUE DE LA CAPITALE

Place Royale

RUE DE LA CAPITALE

RUE DE LA COMMUNE

13

14

12

15

RUE DU PORT

RUE DE...

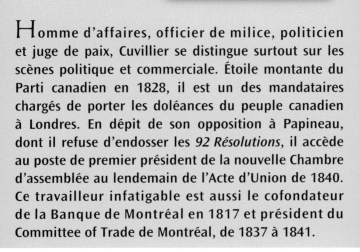

Augustin Cuvillier
(1779-1849)

23

21

22

23

Homme d'affaires, officier de milice, politicien et juge de paix, Cuvillier se distingue surtout sur les scènes politique et commerciale. Étoile montante du Parti canadien en 1828, il est un des mandataires chargés de porter les doléances du peuple canadien à Londres. En dépit de son opposition à Papineau, dont il refuse d'endosser les *92 Résolutions*, il accède au poste de premier président de la nouvelle Chambre d'assemblée au lendemain de l'Acte d'Union de 1840. Ce travailleur infatigable est aussi le cofondateur de la Banque de Montréal en 1817 et président du Committee of Trade de Montréal, de 1837 à 1841.

Année de désignation : 1969
Emplacement : plaque apposée près de l'entrée du Musée de la Banque de Montréal, 129, rue Saint-Jacques Ouest.

23 Augustin (Austin) Cuvillier.
ANQQ, P1000, S4, PC124.

Henri Bourassa
(1868-1952)

Henri Bourassa est surtout connu pour avoir fondé en 1910 le journal *Le Devoir*, dont il dirigera les destinées jusqu'en 1932. Petit-fils de Louis-Joseph Papineau, il naît à Montréal le 1er septembre 1868. Au cours de sa vie, il combat l'impérialisme britannique, tout en militant en faveur de l'autonomie canadienne et du biculturalisme. Journaliste, politicien, pamphlétaire et orateur réputé, il est un auteur prolifique (une bibliographie de ses écrits datant de 1966 couvre plus de 87 pages!). Il s'éteint à Outremont le 31 août 1952.

Année de désignation : 1962
Emplacement : plaque apposée sur l'ancien édifice du *Devoir*, 211, rue du Saint-Sacrement.

Le Parlement de la province du Canada
(1844-1849)

Ottawa n'a pas toujours été la capitale canadienne. Kingston (1841) et Montréal (1844) auront d'abord cet honneur. À Montréal, le Parlement loue des locaux au marché Sainte-Anne, à l'est de la rue McGill, dans un vaste quadrilatère actuellement occupé par la place d'Youville. L'édifice parlementaire est incendié le 25 avril 1849 à la suite d'une émeute provoquée par la décision de lord Elgin d'indemniser les victimes des Troubles de 1837-1838. La Législature terminera la session au marché Bonsecours. Entre 1850 et 1865, Toronto et Québec se partagent en alternance le rôle de siège du gouvernement, qui sera finalement transféré à Ottawa en 1866.

Année de désignation : 1949
Emplacement proposé : place d'Youville.
Plaque à venir.

(24) Henri Bourassa, juillet 1917. ANC, C-009092.
(25) L'incendie des édifices du Parlement, Montréal, 1849, C. W. Jefferys. ANC, C-073717.

Mère
Marie-Marguerite d'Youville
(1701-1771)

Née Marie-Marguerite Dufrost de la Jemmerais, cette grande dévote marque l'histoire de la société montréalaise par sa piété exemplaire et son dévouement à la cause des plus démunis. Son œuvre se perpétue de nos jours à travers les actions des Sœurs de la Charité, ou Sœurs grises, communauté qu'elle fonde en 1737. En 1747, elle assume la responsabilité de l'Hôpital général de Montréal à la suite du désistement des frères Charron. Elle s'y dépense corps et âme jusqu'à sa mort.

Année de désignation : 1973
Emplacement : plaque apposée sur l'édifice du 138, rue Saint-Pierre, à l'angle de la place d'Youville.

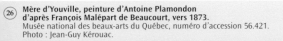

Mère d'Youville, peinture d'Antoine Plamondon d'après François Malépart de Beaucourt, vers 1873.
Musée national des beaux-arts du Québec, numéro d'accession 56.421.
Photo : Jean-Guy Kérouac.

Les Sœurs grises de Montréal

Fondée en 1737 par Marguerite d'Youville, cette congrégation figure parmi les plus anciennes communautés religieuses au Canada. À l'origine voués au service des pauvres et des impotents, ses membres ont également œuvré dans des établissements de santé et d'éducation. Les religieuses ont ainsi favorisé l'éclosion de plusieurs communautés distinctes au pays de même qu'aux États-Unis. Arrivées dans l'Ouest canadien en 1844, les Sœurs grises sont les premières religieuses à s'y établir.

Année de désignation : 1988
Emplacement proposé : maison de mère d'Youville, 138, rue Saint-Pierre. Plaque à venir.

L'ancien Hôpital général des Sœurs grises

En ces murs, les Sœurs grises tiennent jusqu'en 1871 un refuge pour les malades et les déshérités de Montréal. Elles succèdent aux frères Charron qui, en 1692, érigent une maison de charité connue sous le nom d'Hôpital général de Montréal. Avec sa maçonnerie brute, ses détails en pierre de taille et son toit à pignons, l'architecture fonctionnelle du bâtiment est caractéristique du XVIIIe siècle. Agrandi à plusieurs reprises au cours du XIXe siècle, l'édifice a été en partie démantelé, notamment avec l'ouverture des rues Normand et Saint-Pierre. Une aile du couvent des Sœurs grises et les vestiges de leur église, rue Saint-Pierre, subsistent toujours.

Année de désignation : 1973
Emplacement : maison de mère d'Youville, plaque apposée à la droite de la porte secondaire, près de la place d'Youville, 121, rue Normand.

(27) Groupe de Sœurs grises au XXe siècle, Chesterfield Inlet, Nunavut.
Archives des Sœurs grises, Saint-Boniface.
(28) L'ancien Hôpital général des Sœurs grises, avant 1870.
Collection Parcs Canada, Centre de services du Québec.

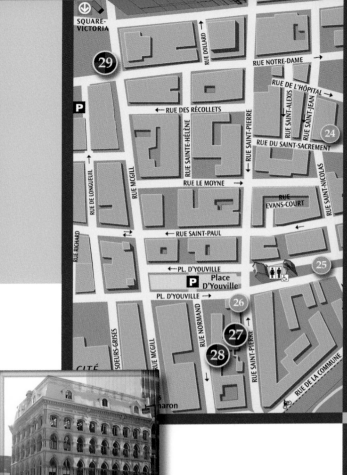

L'édifice Wilson Chambers

Véritable joyau du patrimoine architectural mont-réalais, l'édifice Wilson Chambers est un des rares bâtiments commerciaux de style néogothique de la ville. Sa toiture d'inspiration Second Empire, très prisée à l'époque victorienne, ajoute à son intérêt. Cette construction est réalisée en 1868 pour Charles Wilson, homme politique, négociant et ancien maire de Montréal. Plusieurs entreprises de renom s'y succèdent : O. McGarvey & Son, ébénistes, Herman H. Wolff & Co., importateurs, et C.A. Workman Limited, fabricant des célèbres vêtements de travail. L'édifice Wilson Chambers, aujourd'hui la propriété de la firme 5B Immobilier inc., est connu sous le nom de Karkouti.

Année de désignation : 1990
Emplacement : édifice Karkouti, 502-510, rue McGill,
à l'angle de la rue Notre-Dame; plaque à venir.

L'édifice Wilson Chambers, à l'angle de la rue McGill, vu de la rue Notre-Dame.
Photo : Rémi Chénier, Parcs Canada, Québec, novembre 2002.

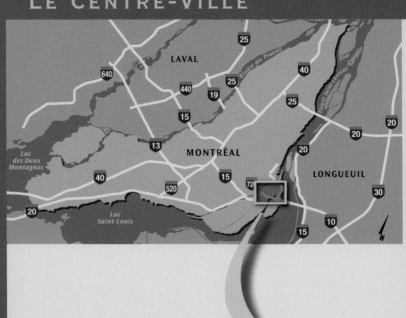

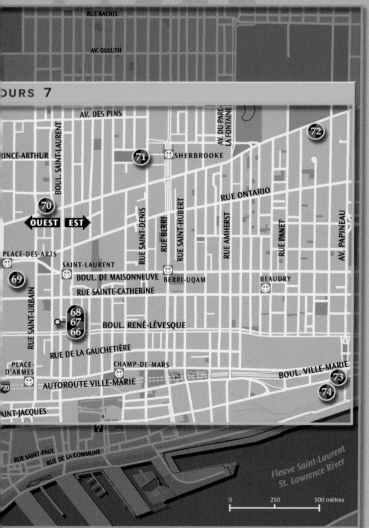

OURS 7

RUE RACHEL

AV. DULUTH

AV. DES PINS

BOUL. SAINT-LAURENT

AV. DU PARC-LA-FONTAINE

RINCE-ARTHUR

71 SHERBROOKE

72

RUE ONTARIO

70

OUEST EST

RUE SAINT-DENIS

RUE BERRI

RUE SAINT-HUBERT

RUE AMHERST

RUE PANET

AV. PAPINEAU

PLACE-DES-ARTS

SAINT-LAURENT

69

BOUL. DE MAISONNEUVE

BERRI-UQAM

BEAUDRY

RUE SAINT-URBAIN

RUE SAINTE-CATHERINE

68
67
66

BOUL. RENÉ-LÉVESQUE

RUE DE LA GAUCHETIÈRE

PLACE-
D'ARMES

CHAMP-DE-MARS

BOUL. VILLE-MARIE

20

AUTOROUTE VILLE-MARIE

73

74

AINT-JACQUES

RUE SAINT-PAUL

RUE DE LA COMMUNE

Fleuve Saint-Laurent
St. Lawrence River

0   250   500 mètres

Le service des postes

Sous le Régime français, l'intendant a recours à des messagers pour acheminer les dépêches gouvernementales entre Québec et Montréal. Ce n'est qu'à partir de 1693 que Pierre DaSilva agit comme premier courrier du roi entre ces deux villes. Le système de livraison se révèle lent, mal tenu et très onéreux, jusqu'à ce que les Britanniques le prennent en main, au lendemain de la Conquête. En 1763, deux districts sont créés pour gérer le service postal des colonies britanniques en Amérique. Celui du nord, qui s'étend de Québec à la Virginie, est confié à Hugh Finlay, premier maître de poste de Québec. L'année suivante, un réseau régulier de messagers est établi entre Québec, Montréal et New York, jetant ainsi les bases du service postal canadien.

Année de désignation : 1927
Emplacement : plaque apposée à l'extérieur de l'entrée de l'édifice des Postes, 1015, rue Saint-Jacques Ouest, à l'angle de la rue de la Cathédrale.

La gare Windsor

Inauguré en 1889, ce superbe édifice de style néoroman sert aussi de siège social au Canadien Pacifique, une des principales compagnies de chemin de fer au pays. Sa présence témoigne de l'importance de Montréal en tant que pivot du système ferroviaire national à la fin du XIXe siècle et au cours du XXe siècle. Il abrite toujours le siège social du Canadien Pacifique, mais la gare ne dessert plus que le trafic de banlieue. Elle a été désignée gare ferroviaire patrimoniale en 1990.

Année de désignation : 1975
Emplacement : 900, rue Peel, à l'angle de la rue De La Gauchetière. Plaque à venir.

(30) Timbre commémorant la première route postale reliant Québec, Trois-Rivières, Montréal et New York. « © Société canadienne des postes, 1963. Reproduit avec permission ».
(31) Montréal. - La gare Windsor, du C.P.R.
BNQ, *Le Monde illustré*, vol. 10, n° 481, p. 133 (22 juillet 1893).

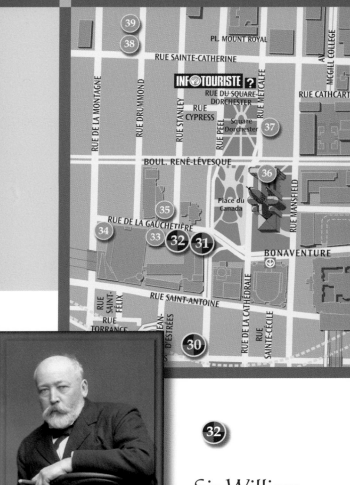

32

Sir William Van Horne (1843-1915)

LE CENTRE-VILLE

Constructeur et administrateur de chemins de fer, collectionneur et artiste, William Van Horne est un homme aux intérêts et aux talents diversifiés. Il se distingue sur la scène nationale par la construction du Canadien Pacifique (CP), une nouvelle compagnie ferroviaire au pays. Van Horne occupe les postes de directeur général du CP en 1882, de vice-président en 1885 et, finalement, de président en 1888. Deux ans plus tard, il a déjà achevé la construction du réseau de base du chemin de fer qui contribuera considérablement à l'essor du pays. C'est également sous son mandat que le siège social du Canadien Pacifique est établi à Montréal, à la gare Windsor.

Année de désignation : 1955
Emplacement : plaque apposée dans le hall d'entrée de la gare Windsor, 1160, rue De La Gauchetière Ouest, à l'angle de la rue Peel.

(32) Sir William Van Horne, vers 1900-1910, William Cooper.
ANC, PA-182603.

Les porteurs ferroviaires et leurs syndicats

Les porteurs ferroviaires sont à la source d'éclatantes victoires syndicales au Canada. Grâce à leurs luttes, les Noirs obtiennent le droit à la représentation syndicale dès 1919. Mais, fait plus important encore pour l'histoire des droits de la personne au pays, ces porteurs et leurs syndicats réussissent, vers le milieu des années 50, à mettre fin à la discrimination dans les emplois ferroviaires, un précédent qui se répercute bien au-delà de l'industrie des chemins de fer.

Année de désignation : 1994
Emplacement : plaque apposée à la gare Windsor, 900, rue Peel, à l'angle de la rue Saint-Antoine.

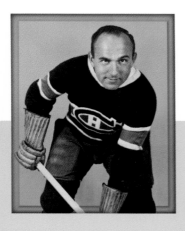

Howie Morenz (1902-1937)

Considéré comme le hockeyeur le plus populaire de la première moitié du XXe siècle, Morenz évolue dans la Ligue nationale de hockey pendant quatorze saisons, dont onze avec les Canadiens de Montréal qui le recrutent en 1923. Attraction principale de cette équipe, il est deux fois le meilleur compteur de l'année et reçoit trois fois le trophée Hart, décerné au joueur le plus utile. Fin tragique pour cette vedette, Morenz décède des suites des blessures qu'il subit lors d'un match disputé au Forum de Montréal. Véritable légende de ce sport, il est admis au Temple de la renommée en 1945.

Année de désignation : 1976
Emplacement : plaque apposée au Centre Bell, 1260, rue De La Gauchetière Ouest, à l'angle de la rue de la Montagne.

33 Porteurs ferroviaires, membres du syndicat et du Canadien Pacifique, vers 1950.
Collection privée.
34 Howie Morenz.
Photo : James Rice/Hockey Hall of Fame.

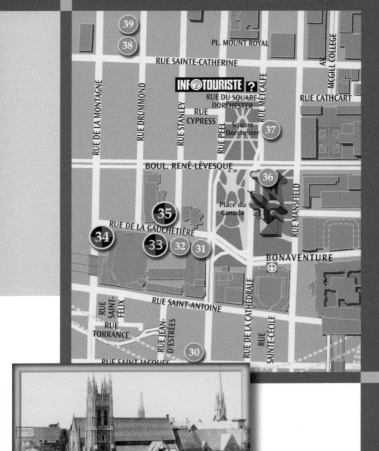

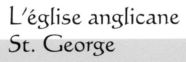

L'église anglicane St. George

De style néogothique, cette église fut construite en 1869-1870 selon les plans de William T. Thomas. Elle se démarque par son magnifique plafond à poutres — l'un des plus grands du genre au monde —, son intérieur, entièrement dénué de colonnes et qui combine des motifs de l'architecture gothique, ainsi qu'un savant assemblage d'effets visuels. L'omniprésence du bois et la splendeur des multiples vitraux ajoutent chaleur et dignité au décor.

Année de désignation : 1990
Emplacement : plaque apposée au 1101, rue Stanley,
à l'angle de la rue De La Gauchetière.

LE CENTRE-VILLE

La basilique-cathédrale Marie-Reine-du-Monde

Cette basilique-cathédrale est construite sur le modèle de Saint-Pierre de Rome à la demande expresse de Mgr Bourget, deuxième évêque de Montréal. Cette symbolique devait, aux dires de l'évêque, souligner l'attachement de son diocèse aux valeurs du catholicisme et de la papauté. De style néobaroque, Marie-Reine-du-Monde est bâtie entre 1870 et 1894, d'après les plans de Victor Bourgeau et du père Joseph Michaud. Malgré des dimensions plus modestes, plusieurs de ses éléments évoquent son célèbre modèle : le large dôme, la façade surmontée de treize statues, l'aménagement intérieur, le décor de la voûte, le baldaquin baroque et les chapelles latérales.

Année de désignation : 1999
Emplacement : 1085, rue de la Cathédrale, à l'angle du boulevard René-Lévesque. Plaque à venir.

36 **La basilique-cathédrale Marie-Reine-du-Monde, 26 mars 1936.**
Ville de Montréal. Gestion de documents et archives. VM94-Z175.

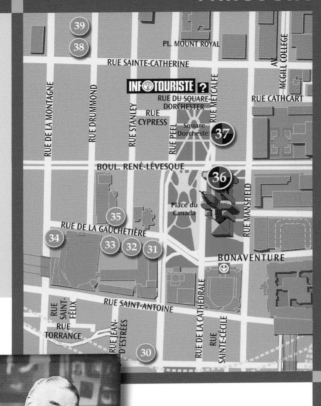

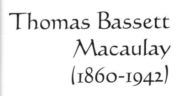

Thomas Bassett Macaulay (1860-1942)

Vers 1908, Thomas Bassett Macaulay, actuaire et figure dominante des affaires au Canada, hisse la Sun Life, une petite firme montréalaise, au rang de leader international des compagnies d'assurance-vie. Devenu président de la Sun Life en 1915, il contribue grandement à l'essor du pays en réinvestissant une bonne partie du capital de sa compagnie dans des actions d'entreprises liées à des secteurs d'intérêts public et industriel. Passionné d'élevage et d'agriculture, il apporte également sa contribution à l'industrie laitière canadienne par la création d'une nouvelle souche de bovins Holstein.

Année de désignation : 1997
Emplacement proposé : édifice de la compagnie Sun Life, 1155, rue Metcalfe; plaque à venir.

Thomas Bassett Macaulay, troisième président de la Sun Life Assurance Company of Canada.
Sun Life Corporate Archives, I-9800.

Sir George Stephen (1829-1921)

George Stephen compte parmi les grands bâtisseurs du Canada. Cet Écossais d'origine arrive dans la colonie en 1850 à titre de marchand général. Il se taille rapidement une place enviable dans le milieu des affaires et, en 1876, devient président de la Banque de Montréal. Conscient de l'importance du développement des communications pour la croissance économique du pays, Stephen participe à la fondation et à la réalisation du chemin de fer Canadien Pacifique. Cette contribution lui vaut en 1885 la médaille de la Confédération du gouvernement canadien. De retour en Angleterre en 1890, il fait office de conseiller aux affaires britanniques pour le premier ministre canadien, John A. Macdonald. En 1891, la reine Victoria le fait baron Mount Stephen.

Année de désignation : 1971
Emplacement : plaque apposée au Club Mount Stephen, 1440, rue Drummond.

(38) **Lord Mount Stephen, 1829-1921.**
Archives du Canadien Pacifique, NS.30245.

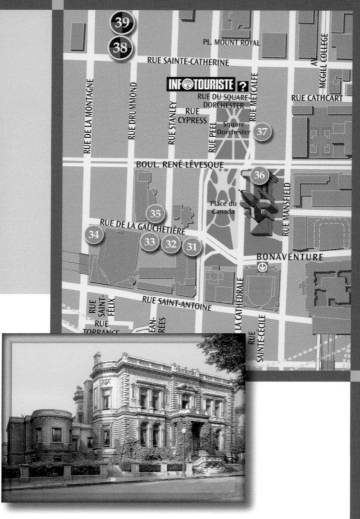

 L'ancienne maison
Stephen

Cette somptueuse résidence d'esprit Renaissance est construite en 1880 pour George Stephen, président de la Banque de Montréal et du Canadien Pacifique. Les plans sont de l'architecte anglais W.T. Thomas et la réalisation des travaux est due à l'entrepreneur montréalais J.H. Hutchison. La plupart des riches matériaux utilisés proviennent de l'étranger. Un contingent d'artisans européens met trois ans à réaliser la décoration intérieure de ce splendide édifice victorien. Évalué de nos jours à près de un million de dollars, ce décor est une œuvre maîtresse dont on ne trouve aucun équivalent en Amérique du Nord. Depuis 1926, l'ancienne maison Stephen est la propriété du Club Mount Stephen.

Année de désignation : 1971
Emplacement : plaque apposée au Club Mount Stephen, 1440, rue Drummond.

39 L'ancienne maison Stephen en 1934-1935, William Notman & Son.
Musée McCord d'histoire canadienne, Montréal, VIEW-25493.

La maison Van Horne-Shaughnessy

Sise sur une partie de l'ancien domaine des Sulpiciens qui y avaient fondé une mission en 1676, cette somptueuse demeure est une des rares maisons jumelées d'inspiration Second Empire à Montréal. Érigée en 1874 selon les plans de W.T. Thomas, elle évoque le temps où cette rue était bordée de vastes résidences entourées de jardins paysagers. Parmi les éminents propriétaires qui l'ont habitée, on retrouve Duncan McIntyre, William Van Horne et T.G. Shaughnessy, trois figures dominantes du Canadien Pacifique. Achetée par l'architecte montréalaise Phyllis Lambert en 1974, cette construction a connu d'importants travaux de restauration visant à l'intégrer au Centre Canadien d'Architecture, inauguré en 1989.

Année de désignation : 1973
Emplacement : plaque enchâssée dans la muraille entourant la maison, 1923, boulevard René-Lévesque Ouest, près de la rue Saint-Marc.

Le Royal Montreal Curling Club 41

D'aucuns prétendent que le premier match de curling en Amérique du Nord est disputé par des Écossais de l'armée anglaise qui occupe Québec à l'hiver 1759-1760. Quoi qu'il en soit, ce sport est bien établi en janvier 1807 lorsque l'on fonde le premier club dûment constitué sur le continent : le Montreal Curling Club. Ses vingt premiers membres jouent sur la surface gelée du Saint-Laurent en utilisant des « pierres » en fonte, à défaut de palets en granite. Les premières années, ils exploitent également les eaux gelées du bassin du canal de Lachine, celles des ruisseaux, des lacs, et même les planchers inondés d'entrepôts abandonnés. En 1889, le Club fait construire un hangar qui abrite trois aires de jeu. Trois ans plus tard, le pavillon du club est érigé selon les plans de l'architecte A.T. Taylor; il est agrandi en 1929 par la firme Nobbs et Hyde. Le Royal (titre reçu en 1924) Montreal Curling Club témoigne non seulement du rôle prépondérant de la ville de Montréal dans l'évolution des sports au Canada, mais aussi des progrès de l'ingénierie au pays, comme le dénotent l'assemblage et la portée des fermes du toit de son hangar.

Année de désignation : 1953
Emplacement : plaque apposée dans le hall d'entrée, 1850, boulevard De Maisonneuve Ouest.

40 La maison Van Horne-Shaughnessy, vers 1880.
Musée McCord d'histoire canadienne, Montréal, MP-1981.207.13.
41 Partie de curling sur le fleuve Saint-Laurent en 1855, W. S. Hatton.
ANC, C-040148.

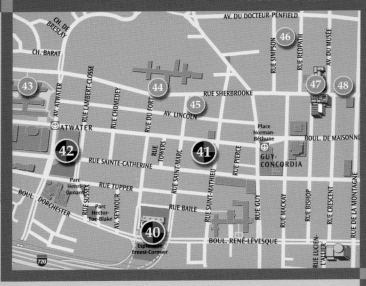

Le Forum
de Montréal

Construit en 1924, le Forum de Montréal restera longtemps l'installation sportive la plus réputée au Canada. Hôte pendant plus de 70 ans du célèbre club de hockey Les Canadiens de Montréal, il tiendra lieu de symbole associé à notre sport national. Outre les parties de hockey, plusieurs événements culturels, politiques et religieux s'y sont déroulés tout au long de son histoire. Acquis par Canderel limitée en 1998, l'édifice est transformé en un vaste centre de divertissement qui abrite des salles de cinéma, des boutiques, des restaurants et un musée consacré aux « Légendes du Forum ».

Année de désignation : 1997
Emplacement : centre de divertissement Forum Pepsi, 2313, rue Sainte-Catherine Ouest, à l'angle de la rue Atwater; plaque à venir.

LE CENTRE-VILLE

42 Le Forum en avril 1947, Office national du film du Canada.
ANC, PA-129603.

La congrégation de Notre-Dame

Fondée en 1658 par Marguerite Bourgeoys, la congrégation de Notre-Dame fut la première communauté religieuse non cloîtrée en Nouvelle-France. Depuis plus de trois siècles, ces religieuses poursuivent l'œuvre de leur fondatrice, principalement dans le domaine de l'enseignement primaire, secondaire et collégial, qu'elles dispensent aux quatre coins du monde. Leur apostolat englobe également différentes actions sociales, la pastorale et le bénévolat. Jadis, la maison mère de la congrégation se trouvait sur les terrains du couvent Villa Maria, acquis en 1854.

Année de désignation : 1988
Emplacement proposé : cégep Dawson (ancienne maison mère de la congrégation de Notre-Dame), 2330, rue Sherbrooke Ouest; plaque à venir.

Les tours des Sulpiciens (le fort de la Montagne)

Construites vers 1685, ces deux tours font partie d'un fort érigé par les Sulpiciens afin de protéger les bâtiments de leur mission amérindienne. En 1694, un incendie les épargne et l'on croit que c'est à cette période que les religieuses de la mission obtiennent l'autorisation d'utiliser la tour est pour se loger, tandis que l'autre leur sert d'école. En 1825, les Sulpiciens transforment la tour est en chapelle, vocation qu'elle maintient jusqu'en 1930. À l'exclusion de ces deux tours, toute trace du fort disparaît avec l'édification du Grand Séminaire, vers 1855. Ces constructions jumelles figurent donc parmi les bâtiments les plus anciens de l'île de Montréal. Restaurées entre 1984 et 1986, elles conservent leurs principaux éléments d'origine.

Année de désignation : 1970
Emplacement : 2065, rue Sherbrooke Ouest, face à la rue du Fort.
Plaque à venir.

43 Le jardin de la communauté, congrégation de Notre-Dame, vers 1885, Oliver B. Buell.
Musée McCord d'histoire canadienne, Montréal, MP-0000.2924.
44 Emplacement du fort de la Montagne/Collège de Montréal - rue Sherbrooke, 1891.
BNQ, Albums E.-Z. Massicotte, Albums de rues, 8-80-a.

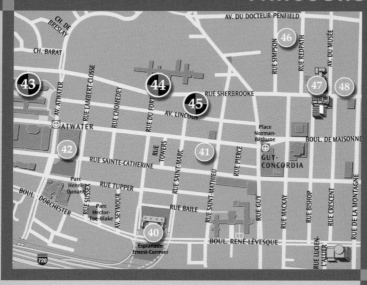

Le Masonic Memorial Temple de Montréal

Érigé en 1929-1930, ce magnifique édifice de la rue Sherbrooke Ouest compte parmi les constructions de style Beaux-Arts les plus raffinées au Canada. Son architecture, inspirée des temples grecs de l'Antiquité, traduit bien les aspirations de ses propriétaires francs-maçons. En effet, les éléments ornementaux de la façade sont des représentations symboliques de leurs croyances, tandis que sa division tripartite rappelle les étapes de la vie et les trois niveaux hiérarchiques de la fraternité. Les immenses colonnes ioniques se veulent une allégorie de la sagesse divine. Le Masonic Memorial Temple de Montréal est un des derniers survivants du genre au Canada.

Année de désignation : 2001
Emplacement : 1850, rue Sherbrooke Ouest, à l'angle de la rue Saint-Marc; plaque à venir.

45 La façade du Masonic Memorial Temple.
Photo : Rémi Chénier, Parcs Canada, Québec, novembre 2003.

LE CENTRE-VILLE

John Rose
(1820-1888)

Avocat, financier, homme politique et diplomate, Rose se distingue en tant que ministre des Finances du premier Parlement fédéral. De 1867 à 1869, il travaille à l'adoption du premier système bancaire du Dominion et prend part aux négociations d'emprunt pour la construction de l'Intercolonial ainsi qu'à plusieurs pourparlers avec le gouvernement américain. Sa carrière de politicien terminée, on fait de nouveau appel à ses talents de diplomate pour améliorer les relations américano-britanniques au lendemain de la guerre de Sécession. Homme de grande influence, Rose reçoit dans sa résidence de Montréal le prince de Galles, alors en visite officielle en Amérique du Nord.

Année de désignation : 1973
Emplacement proposé : rue Simpson, où s'élevait autrefois la maison de John Rose. Plaque à venir.

James Wilson
Morrice
(1865-1924)

Né à Montréal, Morrice est un des peintres paysagistes les plus reconnus de son époque. Dans la lignée des impressionnistes, il s'attache à capter les effets changeants de la lumière sur les paysages — les scènes marines en particulier — et sur l'architecture. Grand voyageur, il participe à de nombreuses expositions internationales. Au cours de sa fructueuse carrière, Morrice acquiert une renommée des plus enviables, tant au Canada qu'en France, son pays d'adoption. Deux de ses toiles, *La Traverse, Québec* et *Pont de glace,* comptent parmi ses premières œuvres canadiennes d'importance.

Année de désignation : 1954
Emplacement : plaque apposée au pavillon Hornstein, Musée des beaux-arts, 1379, rue Sherbrooke Ouest.

(46) Honorable John Rose, 1868, William Notman.
Musée McCord d'histoire canadienne, Montréal, I-33888.
(47) James Wilson Morrice, 1900, William Notman & Son.
Musée McCord d'histoire canadienne, Montréal, II-132335.

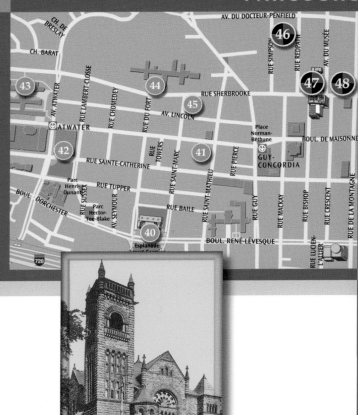

L'église Erskine and American, vers 1910, Neurdein.

L'église Erskine and American (temple de l'Église Unie)

Construite en 1893-1894, l'église Erskine and American est un magnifique spécimen du style néoroman inspiré des travaux de l'architecte américain Richardson. L'extérieur, quasi intact, se distingue par la variété de modèles de fenêtres réparties sur trois niveaux ainsi que par son attrayante maçonnerie. L'aménagement intérieur présente un mariage intéressant entre la disposition originale en amphithéâtre et les modifications apportées en 1938-1939 par Percy Nobbs afin de répondre aux nouvelles normes de l'Église Unie. Cette église possède la plus grande collection canadienne de vitraux religieux créés par le célèbre artiste américain Tiffany.

Année de désignation : 1998
Emplacement : 1339, rue Sherbrooke Ouest, à l'angle de la rue du Musée; plaque à venir.

L'église Erskine and American, vers 1910, Neurdein.
Musée McCord d'histoire canadienne, Montréal, MP-0000.872.7.

LE CENTRE-VILLE

Maude Elizabeth Seymour Abbott (1869-1940)

La Faculté de médecine de l'Université McGill peut s'enorgueillir d'avoir compté parmi son personnel l'une des premières femmes médecins au Canada. Maude Abbott est une pionnière dans le domaine de la recherche et de l'enseignement de la médecine. Ses travaux et ses nombreux écrits sur les maladies cardiaques congénitales lui valent une réputation mondiale. Fondatrice du musée médical de l'Université McGill, elle diffuse son expertise à travers le monde. Cette femme d'avant-garde contribue à faciliter à ses consœurs l'accès aux études supérieures, notamment en médecine, alors chasse gardée des hommes.

Année de désignation : 1993
Emplacement : plaque apposée à l'Université McGill,
Édifice McIntyre des sciences médicales, 3655, promenade Sir-William-Osler.

Edward William Archibald (1872-1945)

Diplômé de l'Université McGill en 1896, Archibald connaît une longue et brillante carrière de chirurgien au Royal Victoria Hospital de Montréal. Atteint de tuberculose, il s'intéresse particulièrement à cette terrible maladie et est reconnu comme le plus grand chirurgien thoracique des années 20 et 30. Sa contribution en neurochirurgie est également digne de mention. Auteur et conférencier prolifique, ce spécialiste de renommée internationale est élu président de l'American Surgical Association en 1935.

Année de désignation : 1998
Emplacement proposé : Université McGill, Édifice McIntyre des sciences médicales, 3655, promenade Sir-William-Osler; plaque à venir.

Maude Abbott en 1887, William Notman & Son.
Musée McCord d'histoire canadienne, Montréal, II-85442.

Docteur Edward William Archibald, professeur de chirurgie à McGill et premier neurochirurgien au Canada. Université McGill, Wilder Penfield Archive.

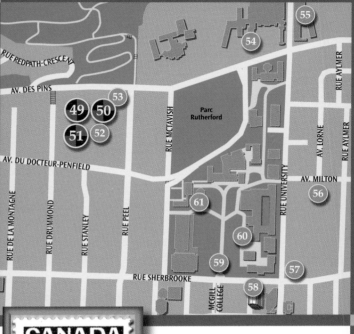

Sir William Osler (1849-1919)

À la fin du XIXᵉ siècle, William Osler est une figure de proue dans le domaine de la médecine au Canada. Après des études à l'Université McGill et en Europe, il entreprend une brillante carrière dans l'enseignement et la pratique clinique de la médecine à McGill. À partir de 1876, il agit comme pathologiste au Montreal General Hospital. En 1889, il devient professeur en médecine et médecin en chef de l'hôpital de l'Université Johns Hopkins. En 1905, il obtient le titre de *Regius Professor of Medicine* à l'Université d'Oxford. Il publie de nombreux écrits, dont *The Principles and Practice of Medicine* qui est le manuel médical le plus célèbre et le plus réédité du siècle dernier. William Osler a grandement contribué à créer l'image du médecin moderne.

Année de désignation : 1982
Emplacement : plaque apposée à l'Université McGill, Édifice McIntyre des sciences médicales, 3655, promenade Sir-William-Osler.

Margaret Ridley Charlton (1858-1931)

Margaret Ridley Charlton naît à Laprairie, près de Montréal. En 1895, elle est engagée comme bibliothécaire adjointe à la bibliothèque médicale de l'Université McGill, qu'elle transforme radicalement. En 1898, avec les Drs William Osler et George Milbray Gould, entre autres, elle fonde la *Medical Library Association*, une organisation internationale qui jouera un rôle capital dans le domaine de la bibliothéconomie spécialisée et universitaire. En 1914, elle quitte McGill pour devenir bibliothécaire à l'Académie de médecine de l'Université de Toronto, où elle travaillera jusqu'en 1922. Au cours de sa carrière, Margaret Charlton a fait œuvre de pionnière à une époque où la plupart des bibliothécaires médicaux étaient des médecins de sexe masculin et où la bibliothéconomie n'était pas encore reconnue comme une profession. Comme en témoignent ses nombreux ouvrages, elle est aussi l'une des premières personnes à s'intéresser à l'histoire de la médecine au Québec. On lui doit également des livres pour enfants, dont *A Wonder Web of Stories*, le premier recueil de contes de fées publié au Canada.

Année de désignation : 2002
Emplacement proposé : bibliothèque des Sciences de la santé, Université McGill, 3655, promenade Sir-William-Osler; plaque à venir.

Margaret Ridley Charlton.
Bibliothèque Osler de l'histoire de la médecine, Université McGill, Montréal, Québec.

La résidence
H.-Vincent-Meredith

Cette somptueuse demeure urbaine aux allures de château médiéval est érigée en 1896 pour Andrew Allan, un des associés de la compagnie Allan Line Steamship et beau-père de H. Vincent Meredith, gérant de la Banque de Montréal. Conçue par Edward Maxwell dans le style néo-Queen Anne, cette magnifique résidence présente une harmonieuse combinaison d'éléments classiques (fenêtre serlienne et porche à colonnes) et d'éléments médiévaux (tour, cheminées nervurées et toit à forte pente). La composition asymétrique demeure l'un des éléments les plus caractéristiques de ce style architectural.

Année de désignation : 1990
Emplacement : 1110, avenue des Pins Ouest, à l'angle de la rue Peel.
Plaque à venir.

53 La résidence H.V. Meredith en 1906, William Notman & Son.
Musée McCord d'histoire canadienne, Montréal, II-160766.

54a

Le pavillon Hersey

Ce pavillon doit son nom à Mabel Hersey, chef de file de la professionnalisation des infirmières au Canada, qui y habite au début du XXᵉ siècle. Construit en 1906, il a d'abord servi de résidence aux étudiantes en soins infirmiers. L'ajout, en 1932, d'une annexe renfermant des salles de cours a contribué à marquer l'évolution croissante de cette profession vers des normes éducatives et scientifiques de plus en plus élevées. C'est ce qui en fait un des meilleurs endroits pour commémorer l'importance historique nationale de la profession d'infirmière au Canada. De nos jours, l'édifice est principalement consacré à la recherche médicale.

Année de désignation : 1997
Emplacement : hôpital Royal Victoria, 687, avenue des Pins Ouest.
Plaque à venir.

54b

54a **Le pavillon Hersey.**
Photo : Rémi Chénier, Parcs Canada, Québec, novembre 2003.
54b **Le pavillon Hersey.**
Photo : Rémi Chénier, Parcs Canada, Québec, novembre 2003.

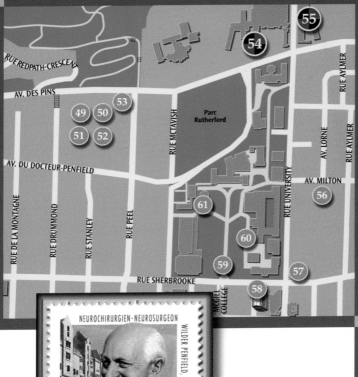

Wilder Graves Penfield
(1891-1976)

Grâce à ses travaux novateurs dans le domaine de la neurochirurgie et de la neurologie, Wilder Graves Penfield se taille une réputation mondiale. Auteur prolifique, il innove par ses méthodes d'intervention chirurgicale, notamment dans les cas d'épilepsie, et contribue au développement des connaissances sur le fonctionnement du cerveau humain. En 1934, Penfield fonde l'Institut neurologique de Montréal et en assume la direction jusqu'en 1960. Aujourd'hui, cet institut jouit d'une renommée internationale pour son enseignement, ses activités de recherche et ses méthodes de traitement des maladies reliées au cerveau et au système nerveux.

Année de désignation : 1988
Emplacement : plaque apposée sur la façade de l'Institut neurologique de Montréal, 3801, avenue Université.

LE CENTRE-VILLE

 ## Les appartements Marlborough

Voici l'un des plus beaux et des plus anciens immeubles résidentiels de Montréal. De style néo-Queen Anne, il est construit en 1900 par les architectes Andrew Thomas Taylor et George William Gordon pour Andrew Frederic Gault, président de plusieurs industries textiles de la région montréalaise, surnommé le « roi du coton ». À l'origine, cet édifice en brique comprend 27 appartements, du studio au logement de 9 pièces. Organisé autour d'une cour centrale, il est conçu à la manière d'une résidence privée destinée à une clientèle urbaine « raffinée ». Propriété de l'Université McGill de 1960 à 1979, l'immeuble est transformé en copropriété dans les années 90. On peut déceler une influence hollandaise dans l'ornementation des pignons et du corps central.

Année de désignation : 1991
Emplacement : 570, rue Milton, en face de l'avenue Lorne.
Plaque à venir.

Donald Alexander Smith (1820-1914)

Homme d'affaires, politicien, diplomate et philanthrope, Donald A. Smith se distingue sur la scène économique à titre de haut fonctionnaire de la Compagnie de la baie d'Hudson, dont il devient le principal actionnaire en 1889, puis le gouverneur. Toute sa vie, il participe à une foule d'entreprises en tant qu'actionnaire, administrateur ou président. Résolu à améliorer le transport dans le Nord-Ouest, il risque sa fortune dans la construction des chemins de fer, notamment celui du Canadien Pacifique. Son immense richesse n'a d'égale que sa générosité : ses donations et ses legs dépassent les sept millions et demi de dollars! De nombreux établissements montréalais reliés aux domaines de la santé, de l'éducation, du sport et des arts ont profité de ses dons. Entre 1887 et 1896, Smith représente Montréal-Ouest à titre de député fédéral puis, de 1896 à 1914, il est haut-commissaire à Londres. Il est fait premier baron Strathcona and Mount Royal en 1900.

Année de désignation : 1974
Emplacement proposé : Université McGill, pavillon Strathcona de musique, 555, rue Sherbrooke Ouest, à l'angle de la rue University; plaque à venir.

56 Les appartements Marlborough en 1902, William Notman & Son.
Musée McCord d'histoire canadienne, Montréal, II-142552.
57 Lord Strathcona enfonçant le dernier crampon du chemin de fer Canadien Pacifique, 1885, reproduit vers 1910, Alexander Ross.
Musée McCord d'histoire canadienne, Montréal, MP-0000.25.971.

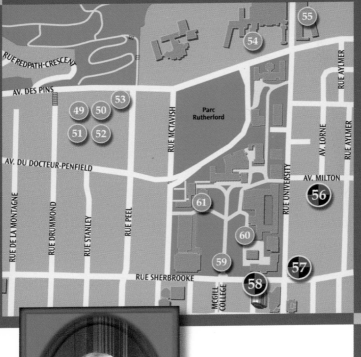

David Ross McCord
(1844-1930)

56 57 58

David Ross McCord est le fondateur du Musée McCord d'histoire canadienne. Vers 1878, le jeune collectionneur entreprend d'ajouter ses propres acquisitions aux avoirs familiaux. Pour ce faire, il investit temps et argent à parcourir le pays afin de dénicher de beaux objets associés à l'histoire humaine du Canada. McCord caressait le rêve d'établir un musée national d'histoire à Montréal. En 1919, il lègue sa collection personnelle à l'Université McGill. Le 13 octobre 1921, le McCord National Museum ouvre ses portes dans un édifice de la rue Sherbrooke. Depuis, le Musée McCord d'histoire canadienne poursuit sa mission initiale : rendre l'histoire accessible à tous.

Année de désignation : 1999
Emplacement proposé : Musée McCord, 690, rue Sherbrooke Ouest, à l'angle de l'avenue Victoria; plaque à venir.

58 David Ross McCord, vers 1915
Musée McCord d'histoire canadienne, Montréal, MP-0000.2135.7.

Hochelaga

Le village fortifié d'Hochelaga, visité par Jacques Cartier en 1535, aurait été situé près de l'actuel campus de l'Université McGill. Il s'agissait d'une bourgade iroquoienne entourée d'une palissade de pieux doublés d'écorce. Des habitations dites « maisons-longues » étaient construites à l'intérieur de l'enceinte. Chacune pouvait loger plusieurs membres d'une même famille ou d'un même clan. La durée de vie de ces villages variait entre dix et vingt-cinq ans, après quoi on les déplaçait là où le gibier et le bois de chauffage étaient plus abondants et où le sol était plus riche pour la culture. Ceci explique peut-être l'abandon du village d'Hochelaga vers 1600.

Année de désignation : 1921
Emplacement : plaque apposée à gauche de l'entrée principale de l'Université McGill, 845, rue Sherbrooke Ouest.

Ernest Rutherford (1871-1937)

Rutherford est un des pionniers de la recherche en physique nucléaire. Professeur de physique à l'Université McGill de 1898 à 1907, on lui doit la découverte et la nomenclature des rayons alpha, bêta et gamma, trois des principales composantes de la radiation. En 1919, il réussit la première modification artificielle d'une structure atomique, traçant du même coup la voie à plusieurs autres chercheurs. Autorité mondiale dans son domaine, Rutherford reçoit les plus hautes distinctions au cours de sa carrière, dont le prix Nobel de chimie en 1908 et la présidence de la Société royale de Londres entre 1925 et 1929. Il est fait baron en 1931. Parmi ses principaux écrits figurent *Radioactivity* (1904), *Radiation from Radioactive Substances* (1930) et *The Newer Alchimy* (1937). Son pays d'origine, la Nouvelle-Zélande, a émis plusieurs timbres et du papier-monnaie à son effigie.

Année de désignation : 1939
Emplacement : Université McGill, plaque apposée sur le mur de la bibliothèque MacDonald-Stewart, 809, rue Sherbrooke Ouest.

(59) Représentation fictive d'Hochelaga selon la carte de Ramusio, 1563-1583. ANC, C-010489.
(60) Ernest Rutherford dans son laboratoire de l'Université McGill, vers 1905. Musée McCord d'histoire canadienne, Montréal, MP-0000.77.

Frank Dawson Adams
(1859-1942)

Géologue de réputation internationale, Adams reçoit sa formation à l'Université McGill ainsi qu'à l'Université d'Heidelberg, en Allemagne. Au cours de sa brillante carrière, il occupe les postes de professeur de géologie, de doyen de la Faculté des sciences appliquées et de vice-principal à l'Université McGill. Il est également membre de la Commission géologique du Canada. Ses expériences sur le fluage des roches cassantes marquent la géologie à un point tel que le milieu le consacre fondateur de la géologie structurale moderne. Une nouvelle espèce minérale découverte au mont Saint-Hilaire, l'adamsite, est baptisée en son honneur. Auteur de nombreux ouvrages scientifiques, Adams publie *The Birth and Development of the Geological Sciences*, seize ans après avoir pris sa retraite.

Année de désignation : 1950
Emplacement : Université McGill, plaque apposée à droite de l'entrée du Musée Redpath, 859, rue Sherbrooke Ouest.

Dr Frank Dawson Adams en 1922, William Notman & Son.
Musée McCord d'histoire canadienne, Montréal, II-173978.

LE CENTRE-VILLE

La cathédrale Christ Church

Cette cathédrale anglicane de style néogothique est construite entre 1857 et 1860 selon les plans de Frank Wills et de Thomas Seaton Scott. Inspirée des églises anglaises à plan cruciforme du XIVe siècle, elle constitue un modèle du nouveau courant architectural et spirituel préconisé par la Cambridge Camden Society, un regroupement de théologiens anglais. L'intérieur est conçu pour attirer le regard vers le chœur et l'autel surélevé, deux éléments majeurs de la nouvelle liturgie anglicane du milieu du XIXe siècle. Malgré les changements qu'elle subit au cours des ans, la cathédrale conserve en grande partie son plan d'origine.

Année de désignation : 1999
Emplacement : 1444, avenue Union, à l'angle de la rue Sainte-Catherine.
Plaque à venir.

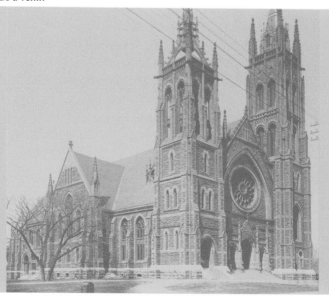

62 La cathédrale Christ Church en 1868, William Notman.
Musée McCord d'histoire canadienne, Montréal, I-32441.1.

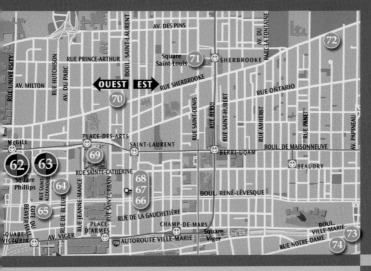

L'église St. James United

Lors de son ouverture en 1889, cette église est le plus grand temple méthodiste au monde. La création de l'Église Unie du Canada, en 1925, grâce à la fusion des méthodistes et de diverses Églises, fait de St. James le lieu de ralliement des confessions protestantes à Montréal. D'inspiration néogothique de l'apogée victorien, cet imposant monument religieux est construit en 1887-1888 selon les plans d'Alexander F. Dunlop. L'extérieur emprunte aux architectures française et italienne. Parmi les éléments les plus caractéristiques de l'aménagement intérieur figurent la série d'arcs inversés du plafond voûté, unique au Québec, et la nef conçue comme un auditorium. Pareil arrangement répond aux exigences méthodistes axées sur une forme de liturgie de la parole.

Année de désignation : 1996
Emplacement : plaque apposée au 463, rue Sainte-Catherine Ouest, à l'angle de la rue Saint-Alexandre.

63 L'église méthodiste Saint James, vers 1890, William Notman & Son.
Musée McCord d'histoire canadienne, Montréal, VIEW-2532.1.

LE CENTRE-VILLE

La Compagnie de Jésus
(les pères jésuites)

Dès les débuts de la colonie, les Jésuites se signalent par leur œuvre missionnaire et apostolique, notamment auprès des Amérindiens. Les éducateurs les plus recherchés en Europe, ils fondent ou gèrent plusieurs collèges classiques au Canada. Également reconnus pour leur engagement dans le domaine social et la prédication, ils sont à l'origine du renouveau de la foi chrétienne grâce aux centres de pèlerinage, aux maisons de retraite et à divers mouvements d'apostolat spécialisés, dont l'Union catholique (1858), la Ligue du Sacré-Cœur (1883) et l'Association catholique de la jeunesse canadienne-française (1904). Les Jésuites participent aussi à l'émergence du syndicalisme catholique. Fidèles au mot d'ordre de leur fondateur, « À la plus grande gloire de Dieu », ils exercent, pendant plusieurs années, une influence prépondérante sur de multiples aspects de l'histoire du Canada.

Année de désignation : 1988
Emplacement : plaque apposée sur une stèle, près de l'église du Gesù, 1202, rue Bleury.

64 L'église du Gesù et le collège Sainte-Marie.
BNQ, Albums E.-Z. Massicotte, Albums de rues, 1-73-c.

La basilique Saint-Patrick

Dédiée à la communauté irlandaise de Montréal, Saint-Patrick est la plus ancienne église catholique romaine d'expression anglaise de la ville. Son inauguration, en 1847, coïncide avec une importante vague d'immigration irlandaise en Amérique du Nord. Exemple précoce du style néogothique au Canada, cette basilique est conçue par l'architecte Pierre-Louis Morin et le père Félix Martin. L'originalité de ce monument religieux réside dans le mariage de l'architecture québécoise traditionnelle, toute de simplicité, et de l'architecture inspirée du Moyen Âge français, qui donne à l'espace intérieur son élégance. L'aspect actuel du décor intérieur résulte en majeure partie de la campagne de travaux exécutée à la fin du XIXe siècle.

Année de désignation : 1990
Emplacement : plaque apposée au 454-460, boulevard René-Lévesque Ouest, à l'angle de la rue Saint-Alexandre.

65 L'église Saint-Patrick, fin du XIXe siècle.
Archives de l'Université de Montréal, fonds William-Henry Atherton/p0060FC00021.

Le Monument-National

Cet imposant édifice est construit entre 1891-1893 par l'Association Saint-Jean-Baptiste de Montréal, selon les plans de la firme d'architectes Perrault, Mesnard et Venne. Son style éclectique reflète les aspirations nationalistes de ses fondateurs. Le Monument-National est une des premières universités populaires au pays, le plus grand centre culturel yiddish d'Amérique et le berceau des premiers mouvements féministes et associatifs québécois. De 1893 à 1993, plus de 1000 politiciens et intellectuels y prononcent des discours, et près de 10 000 spectacles, créations et concerts québécois animent ses scènes. Restauré en 1993, le bâtiment abrite l'École nationale de théâtre du Canada depuis 1971.

Année de désignation : 1985
Emplacement : plaque apposée au 1182, boulevard Saint-Laurent.

Marie Lacoste-Gérin-Lajoie (1867-1945)

Pionnière de la défense des droits des femmes au Canada, Marie Lacoste-Gérin-Lajoie est cofondatrice et présidente de la plus importante association féministe canadienne-française : la Fédération nationale Saint-Jean-Baptiste (FNSJB), créée en 1907 à Montréal. En 1913, elle lance *La Bonne Parole*, revue de la fédération dans laquelle elle milite principalement pour l'obtention du suffrage féminin, l'accession des femmes à l'enseignement supérieur et l'amélioration de leur statut juridique — condition qui conduit finalement à une réforme du Code civil du Québec en 1931. L'édifice du Monument-National abrite le secrétariat de la Fédération nationale Saint-Jean-Baptiste jusqu'en 1925.

Année de désignation : 1997
Emplacement proposé : Monument-National, 1182, boulevard Saint-Laurent. Plaque à venir.

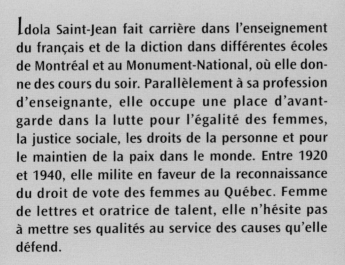

Idola Saint-Jean
(1880-1945)

Idola Saint-Jean fait carrière dans l'enseignement du français et de la diction dans différentes écoles de Montréal et au Monument-National, où elle donne des cours du soir. Parallèlement à sa profession d'enseignante, elle occupe une place d'avant-garde dans la lutte pour l'égalité des femmes, la justice sociale, les droits de la personne et pour le maintien de la paix dans le monde. Entre 1920 et 1940, elle milite en faveur de la reconnaissance du droit de vote des femmes au Québec. Femme de lettres et oratrice de talent, elle n'hésite pas à mettre ses qualités au service des causes qu'elle défend.

Année de désignation : 1997
Emplacement : plaque apposée au 1182, boulevard Saint-Laurent.

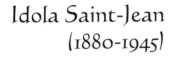

Idola Saint-Jean vers 1940-1945, Studio Garcia.
ANC, C-068508.

LE CENTRE-VILLE

Wilfrid Pelletier
(1896-1982)

Ce chef d'orchestre de renommée internationale est une des figures dominantes de la vie musicale au Québec. À partir de 1936, il contribue de façon exceptionnelle au développement du théâtre lyrique et à la création de concerts d'envergure, tels les Festivals de Montréal et les Matinées symphoniques pour la jeunesse. En 1942, il fonde le Conservatoire de musique et d'art dramatique du Québec, qu'il dirige jusqu'en 1961. De 1951 à 1966, Wilfrid Pelletier assume la direction artistique des orchestres symphoniques de Montréal et de Québec, de même que celle du programme d'enseignement musical provincial. Maints honneurs lui sont décernés, dont celui de Compagnon de l'Ordre du Canada, en 1967. Aujourd'hui, une des salles de la Place des Arts de Montréal porte son nom.

Année de désignation : 1988
Emplacement : plaque apposée à la Place des Arts, salle Wilfrid-Pelletier,
260, boulevard De Maisonneuve Ouest.

William Notman
(1826-1891)

Notman est le plus illustre photographe canadien du XIXe siècle. Ce portraitiste de réputation internationale, établi à Montréal en 1856, nous a légué d'innombrables portraits de personnalités de son époque et des milliers de clichés de sa ville d'adoption, du Canada et de l'Est des États-Unis. Dans les années 1880, son entreprise compte plus d'une vingtaine de succursales, dont sept au Canada. À Montréal, son studio est un véritable foyer artistique où se tiennent de fréquentes expositions de peintures et de sculptures. Regroupées au Musée McCord d'histoire canadienne depuis 1956, les archives photographiques Notman constituent une source iconographique d'une richesse inestimable.

Année de désignation : 1975
Emplacement proposé : ancienne résidence Notman, 51, rue Sherbrooke Ouest.
Plaque à venir.

69 Wilfrid Pelletier.
Archives de l'Orchestre symphonique de Montréal.
70 William Notman, photographe, 1866-1867.
Musée McCord d'histoire canadienne, Montréal, I-24151.1.

Émile Nelligan (1879-1941)

É mile Nelligan, probablement le poète le plus aimé et le plus admiré du Canada français, écrit quelque 170 poèmes, sonnets, rondeaux et chansons durant sa courte carrière littéraire. Souffrant de troubles mentaux, il est interné au refuge Saint-Benoît dès 1899, avant d'être transféré à l'hôpital psychiatrique Saint-Jean-de-Dieu. Il y reste jusqu'à son décès, le 18 novembre 1941. *La Romance du vin* et son inoubliable *Vaisseau d'or* ont beaucoup contribué à sa renommée. Sa vision poétique lui survit grâce à la publication de ses œuvres complètes ainsi qu'à la tenue de plusieurs colloques, à des films, des romans, et même à un ballet et à un opéra. Chaque année depuis 1979, le prix Émile-Nelligan est décerné à un jeune poète canadien.

Année de désignation : 1974
Emplacement proposé : square Saint-Louis, au nord-ouest de la rue Sherbrooke, près de la rue Saint-Denis; plaque à venir.

71 Émile Nelligan en 1904.
ANC, C-088566.

Le pavillon Mailloux

À l'instar de quelques autres résidences d'infirmières construites au début du XXe siècle, ce bâtiment, qui date de 1932, rappelle l'importance historique nationale de la profession d'infirmière au Canada. Ce type d'établissement était spécialement conçu pour répondre aux besoins de formation de ces jeunes femmes, tout en leur permettant de se détendre dans un milieu quasi familial. Au fil des ans, la qualité de l'enseignement qui y était offert a aussi largement contribué à la reconnaissance de leur statut professionnel. Aujourd'hui incorporé au vaste complexe de l'hôpital Notre-Dame, le pavillon Mailloux ne conserve qu'un salon dans son état d'origine.

Année de désignation : 1997
Emplacement : hôpital Notre-Dame, 1560, rue Sherbrooke Est.
Plaque à venir.

L'Accommodation

Construit et lancé à Montréal en 1809, l'*Accommodation* est le premier navire à vapeur mis en service au pays. Propriété du brasseur John Molson, cette « chaloupe à fumée », comme le surnomme la *Gazette* de l'époque, met 36 heures pour effectuer le parcours Montréal-Québec lors de son voyage inaugural. Ses moteurs, construits aux Forges du Saint-Maurice, servent à propulser deux roues à aubes latérales. En cas de panne, le navire peut également être équipé d'une voile. En dépit de son échec commercial, l'*Accommodation* est le précurseur de dizaines de bateaux à vapeur qui sillonnent les eaux du pays par la suite. Il aurait été mis à la ferraille en 1811.

Année de désignation : 1971
Emplacement : plaque apposée au parc Molson, en face du 1670, Notre-Dame Est, à l'angle de l'avenue Papineau.

⑦ Le pavillon Mailloux.
Photo : Rémi Chénier, Parcs Canada, Québec, novembre 2003.
⑦ Le lancement de l'*Accommodation* en 1809, A. Sherriff Scott.
ANC, C-148638, original aux Archives Molson.

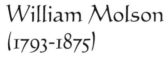

William Molson
(1793-1875)

Descendant de la célèbre famille Molson de Montréal, William compte parmi les grands entrepreneurs de son époque. Brasseur, distillateur, marchand et banquier, il excelle dans plusieurs secteurs clés de l'économie canadienne, tels l'industrie de la bière et de l'alcool, la navigation à vapeur, le commerce d'importation et la vente au détail, les chemins de fer, les mines et le gaz naturel. En 1853, il fonde la Banque Molson qui fusionnera avec la Banque de Montréal en 1925. On peut encore admirer l'ancien siège social de la Banque Molson, à l'angle sud-est des rues Saint-Pierre et Saint-Jacques.

Année de désignation : 1971
Emplacement proposé : Brasserie Molson, 1500, rue Notre-Dame Est.
Plaque à venir.

(74) William Molson, 1863, William Notman.
Musée McCord d'histoire canadienne, Montréal, I-9532.1.

LE CENTRE-VILLE

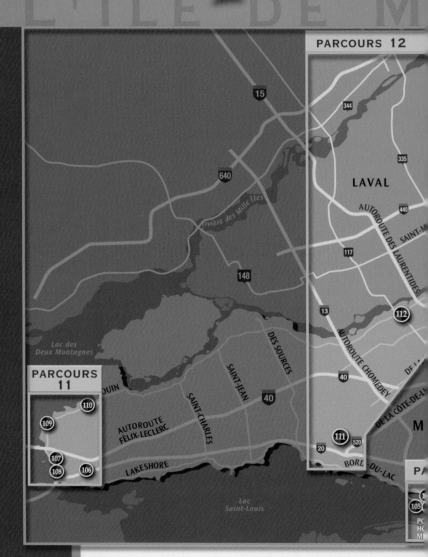

PARCOURS 12

15

344

335

LAVAL

440

AUTOROUTE DES LAURENTIDES

SAINT-M

117

13

112

AUTOROUTE CHOMEDEY

DE L

40

DE LA CÔTE-DE-L

M

111

20   520

BORD-DU-LAC

P

105

Rivière des Mille Îles

640

148

Lac des
Deux Montagnes

DES SOURCES

SAINT-JEAN

SAINT-CHARLES

40

PARCOURS
11

OUIN

110

109

107
108   106

AUTOROUTE
FÉLIX-LECLERC

LAKESHORE

Lac
Saint-Louis

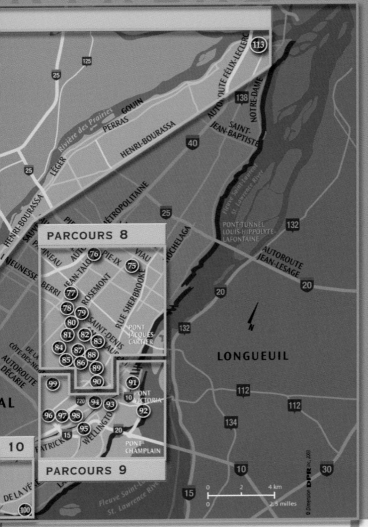

L'ÎLE DE MONTRÉAL

PARCOURS 8

PARCOURS 9

LONGUEUIL

Frère Marie-Victorin (1885-1944)

Conrad Kirouac (frère Marie-Victorin) naît le 3 avril 1885 à Kingsey Falls, dans les Cantons-de-l'Est. Il apprend les rudiments de la botanique au noviciat des Frères des écoles chrétiennes de Montréal puis au collège de Longueuil, avec le frère Rolland-Germain. À partir de la fin des années 20, il est à la tête du mouvement scientifique québécois, sinon canadien. Le frère Marie-Victorin survit à travers ses réalisations comme éducateur, religieux et scientifique. Un de ses legs les plus importants, en plus de son ouvrage *Flore laurentienne* et du Jardin botanique de Montréal, réside dans la multitude de savants et de penseurs qu'il a formés selon l'idéal qu'il proclamait : « Établir dans nos âmes la ferme conviction que la connaissance, la science, la nature, l'amour, la foi, tout cela fait un! Brandir humblement mais courageusement, d'une seule main, les deux flambeaux divins de la connaissance et de l'amour, et essayer de les passer aux autres hommes. »

Année de désignation : 1987
Emplacement : plaque apposée à l'entrée principale du Jardin botanique, 4101, rue Sherbrooke Est, à l'angle du boulevard Pie-IX.

75 Frère Marie-Victorin à son bureau.
Photo : Jardin botanique de Montréal.

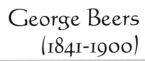

George Beers
(1841-1900)

Cet éminent dentiste montréalais codifie et popularise le jeu de la crosse dans la seconde moitié du XIXe siècle. Adepte de ce jeu d'origine amérindienne, il veut en extirper la violence et en normaliser le déroulement. Les règlements qu'il publie en 1860 sont adoptés par la National Lacrosse Association en 1867. Jusqu'à la Première Guerre mondiale, l'intérêt pour ce sport ne cesse de grandir auprès des Canadiens. Vers la fin du XIXe siècle, la crosse se hisse même au rang de sport national, en grande partie grâce aux efforts de Beers.

Année de désignation : 1976
Emplacement proposé : Centre Étienne-Desmarteaux, 3430, rue de Bellechasse, à l'angle de la 13e Avenue; plaque à venir.

76 Messieurs Beers (à droite) et Stevenson jouant à la crosse en 1868, William Notman. Musée McCord d'histoire canadienne, Montréal, I-35122.1.

L'église antiochoise orthodoxe St. George

77

Cette église est construite en 1939-1940 par Raoul Gariépy pour desservir la plus ancienne et la plus importante communauté syro-libanaise orthodoxe au Canada. Cet architecte conçoit un édifice de style byzantin occidentalisé. L'influence byzantine se révèle dans le dôme central, ceux des deux clochers, les fenêtres cintrées et l'aménagement intérieur qui comprend un narthex (vestibule), une nef et un sanctuaire. Celui-ci est séparé de la nef par l'iconostase : une paroi ajourée et garnie d'icônes. Selon les préceptes de l'architecture byzantine, le transept est de dimension modeste et le plafond est voûté. L'influence occidentale est perceptible dans les deux tours jumelles des clochers, le fronton de la façade, la porte centrale flanquée de deux autres entrées, le large escalier qui mène à la rue et dans le contraste de la brique jaune et du calcaire plus pâle. Les fenêtres sont parées de vitraux. Ces éléments, inhabituels dans une église orthodoxe, témoignent de l'intégration de la communauté dans la société occidentale. L'artiste Emmanuel Briffa en a réalisé la décoration intérieure. Ce bâtiment accueille toujours les fêtes et les rites religieux auxquels s'identifient les descendants des premiers Syriens arrivés au pays à la fin du XIXe siècle.

Année de désignation : 1999
Emplacement : plaque apposée au 555-575, rue Jean-Talon Est, à l'angle de la rue Lajeunesse.

77 L'église antiochoise orthodoxe St. George.
Photo : Rémi Chénier, Parcs Canada, Québec, novembre 2003.

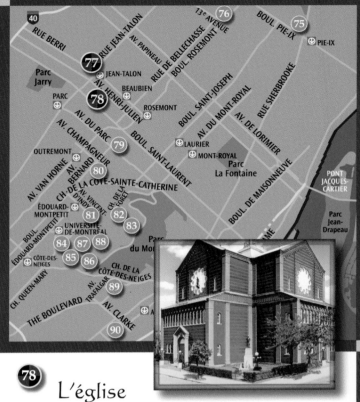

L'église Notre-Dame-de-la-Défense

L'émigration italienne à grande échelle vers le Canada débute dans les années 1890 et nombre d'immigrants s'établissent à Montréal. En 1910, l'archevêque de Montréal, Mgr Bruchési, crée la paroisse nationale de Notre-Dame-de-la-Défense, au cœur de la Petite Italie, afin de desservir les membres de cette communauté dans leur propre langue. La fabrique fait construire l'église actuelle en 1918-1919 selon les plans de Guido Nincheri, un artiste italien récemment arrivé au pays, auquel s'associe la firme d'architectes montréalais Roch Montbriant. Le type d'architecture retenu constitue une variante locale du style néoroman italien. Nincheri conçoit également la décoration intérieure de l'édifice, dont il réalise les fresques et les murales remarquables. Amorcés vers 1924, ces travaux de décoration se poursuivent de 1927 à 1933; ils ne sont achevés que dans les années 60. À signaler : l'ajout du presbytère en 1955 et celui de la chapelle, vers 1962-1964. La Chiesa della Madonna della Difesa, reconnue comme la plus vieille église encore debout construite expressément pour la communauté italienne de Montréal, la plus ancienne au Canada, est aussi considérée comme l'église mère par les Italo-Canadiens. Nombreux sont ceux qui y reviennent de partout afin de participer aux baptêmes, aux mariages, aux funérailles ou aux fêtes annuelles.

Année de désignation : 2002
Emplacement : 6800, avenue Henri-Julien, à l'angle de la rue Dante.
Plaque à venir.

 L'église Notre-Dame-de-la-Défense, vue retouchée.
Droits réservés, paroisse Notre-Dame-de-la-Défense.

L'ÎLE DE MONTRÉAL

Le théâtre Rialto

Avec sa façade inspirée de l'Opéra de Paris et parfaitement harmonisée à son décor intérieur de style baroque, ce théâtre, conçu par Emmanuel Briffa, témoigne de façon remarquable de l'architecture cinématographique canadienne. Construit en 1923-1924 selon les plans de l'architecte Joseph-Raoul Gariépy, il reflète singulièrement l'ère des cinémas de luxe des nouveaux quartiers, tant à Montréal qu'ailleurs au pays. À l'exception de quelques spectacles présentés à partir de 1988, le Rialto conserve sa fonction de salle de cinéma jusqu'à sa fermeture en 1992. Ce bâtiment a été déclaré monument historique par le ministère de la Culture et des Communications du Québec en 1990.

Année de désignation : 1993
Emplacement : 5711, avenue du Parc.
Plaque à venir.

Le théâtre Outremont

Inauguré en 1929, ce bâtiment s'inscrit dans la lignée des cinémas de luxe construits dans les nouveaux quartiers et les banlieues des grandes villes. Il se distingue par une combinaison de deux influences stylistiques particulières aux cinémas des années 20. L'extérieur est représentatif du début de la période Art déco, tandis que le riche intérieur combine des éléments « d'atmosphère » et Art déco. Un état de conservation exceptionnel ajoute à l'intérêt historique et architectural du bâtiment. Dix ans après sa fermeture en 1991, l'Outremont revit, converti en salle de spectacles de variétés.

Année de désignation : 1993
Emplacement : 1240-1248, avenue Bernard Ouest, à l'angle de la rue Champagneur; plaque à venir.

79 Le théâtre Rialto en 1936.
Ville de Montréal. Gestion de documents et archives. VM94- Z119.
80 Le théâtre Outremont, vers 1940, Hayward Studios.
ANC, PA-81560.

Claude Champagne (1891-1965)

81
79
80
81

À cause de son admiration pour Claude Debussy, Joseph-Arthur-Adonaï Champagne adopte, vers 1917, le prénom de Claude. En 1927, ne trouvant guère de débouchés dans le domaine de la composition musicale, il décide de se consacrer à l'enseignement. Il connaît une carrière très diversifiée comme éducateur tout en cumulant de multiples fonctions administratives. L'année 1964 a été déclarée « année Claude-Champagne » en l'honneur de celui qui a fait œuvre de pionnier, non seulement à titre de compositeur et de musicien, mais aussi comme pédagogue et administrateur. Claude Champagne se reconnaissait pourtant une inspiration plus simple : « J'ai toujours été impressionné par la nature. On m'a déjà interviewé et on m'a demandé qu'est-ce qui m'avait le plus influencé dans ma vie et j'ai dit c'est la nature, en ce qui concernait ma musique. » À signaler parmi ses créations les plus importantes : *Suite canadienne* (1927), *Symphonie gaspésienne* (1947) et *Altitude* (1959).

L'ÎLE DE MONTRÉAL

Année de désignation : 1988
Emplacement : plaque apposée à la Faculté de musique de l'Université de Montréal, 200, avenue Vincent-d'Indy.

Le cimetière Mont-Royal

Aménagée sur le flanc nord du mont Royal à partir de 1852, cette nécropole protestante s'inscrit dans la tradition des cimetières ruraux américains. La nature y occupe une place prépondérante et offre un cadre propice à la promenade et à la réflexion. Il émane de ce lieu, où les monuments funéraires sont intégrés à un aménagement paysager diversifié, une atmosphère apaisante pour les visiteurs. Ses dimensions, la qualité de son aménagement et l'intérêt artistique et historique de ses monuments en font un des plus beaux cimetières-jardins en Amérique du Nord. On encourage d'ailleurs la fréquentation des lieux pour la randonnée et l'observation des arbres et des oiseaux.

Année de désignation : 1998
Emplacement proposé : entrée du cimetière Mont-Royal,
1297, chemin de la Forêt; plaque à venir.

Sir Alexander Tilloch Galt (1817-1893)

Alexander Tilloch Galt est un des Pères de la Confédération cana-dienne de 1867. Cet Écossais d'ascen-dance s'établit au Canada en 1835 et se lance dans la spéculation foncière, le commerce et la cons-truction ferroviaire. Par un concours de circonstances, Galt fait ses débuts sur la scène politique en 1849 comme député de la circonscription de Sherbrooke. Sa vision d'un projet de fédération des colonies de l'Amérique du Nord britannique le conduit en 1858 à l'élaboration d'un premier projet de confédération. Il participe aux conférences de Charlottetown et de Québec, en 1864, et à celle de Londres en 1866. Le rôle capital qu'il joue dans le processus de création du nouvel État canadien est souligné par l'audience que lui accorde la reine Victoria, le 27 février 1867.

Année de désignation : 1967
Emplacement : plaque des Pères de la Confédération apposée sur un monument funéraire dans le cimetière Mont-Royal, lot F-11, 1297, chemin de la Forêt.

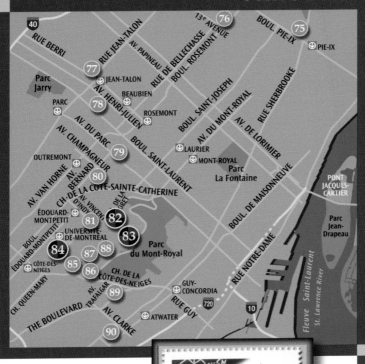

Hans Selye
(1907-1982)

L'ÎLE DE MONTRÉAL

Médecin canadien d'origine hongroise, Selye est le pionnier mondial de la recherche sur le stress. Ses travaux en laboratoire à l'Université de Montréal mènent à la publication de nombreux ouvrages scientifiques et de vulgarisation sur le sujet, dont *Le stress de la vie, Le stress sans détresse* et *Du rêve à la découverte*. Sa brillante carrière lui vaut d'être reçu Compagnon de l'Ordre du Canada et d'obtenir une vingtaine de doctorats honorifiques. Travailleur infatigable, Selye fonde l'Institut international pour le stress, à l'âge de 70 ans.

Année de désignation : 1989
Emplacement proposé : Université de Montréal, Faculté de médecine, 2900, chemin de la Tour; plaque à venir.

Le cimetière Notre-Dame-des-Neiges

85

Situé sur le majestueux mont Royal, le cimetière catholique Notre-Dame-des-Neiges est inauguré en 1855. Son emplacement, à l'extérieur de la ville, s'inscrit dans le courant des nouveaux « cimetières ruraux » amorcé depuis 1831 en Amérique du Nord. Il se range parmi les nécropoles les plus remarquables de son époque pour ses dimensions exceptionnelles, la qualité de son aménagement et pour la richesse architecturale, artistique et historique de ses monuments. Entre autres personnalités canadiennes qui y sont inhumées, mentionnons sir George-Étienne Cartier, Émile Nelligan et Mary Travers (La Bolduc).

Année de désignation : 1998
Emplacement proposé : entrée du cimetière Notre-Dame-des-Neiges, 4601, chemin de la Côte-des-Neiges.
Plaque à venir.

Sir George-Étienne Cartier (1814-1873)
86

Avocat, promoteur ferroviaire, mais surtout brillant politicien, Cartier s'est particulièrement distingué sur la scène politique canadienne au milieu du XIXᵉ siècle. Copremier ministre de la province du Canada entre 1857 et 1862, il défend nombre de projets de lois favorables à ses compatriotes canadiens-français dans les domaines du droit, de la justice et de l'éducation. Toutefois, son rôle dans la mise en place de la Confédération canadienne est le point culminant de sa carrière politique. Vers 1870, Cartier est également l'un des principaux artisans de l'expansion du pays vers l'ouest.

Année de désignation : 1959.
Emplacement : plaque apposée au dos du monument funéraire de G.-É. Cartier, lot O-1 du cimetière Notre-Dame-des-Neiges, 4601, chemin de la Côte-des-Neiges.

⑧⑤ **L'entrée du cimetière Notre-Dame-des-Neiges, vers 1897.** BNQ, Albums E.-Z. Massicotte, Albums de rues, I-135-c.
⑧⑥ **Sir G.-É. Cartier, vers 1871, dessin d'après une photographie de William Notman & Son.** ANC, C-002728.

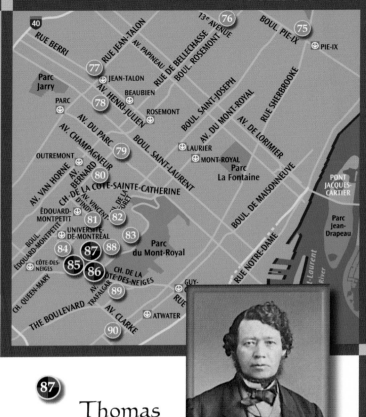

87

Thomas D'Arcy McGee
(1825-1868)

Journaliste, poète, historien et homme politique, Thomas D'Arcy McGee est considéré comme le plus éloquent des Pères de la Confédération. En 1857, il s'installe à Montréal à la demande des Irlandais de cette ville. Il y fonde le *New Era,* journal dans lequel il défend leurs droits tout en exposant sa vision d'une fédération de l'Amérique du Nord britannique. Député réformiste de Montréal en 1858, il passe en 1863 au Parti conservateur, qu'il considère plus près de ses projets de développement national. Nommé ministre de l'Agriculture, de l'Immigration et des Statistiques, il est un des délégués canadiens aux conférences de Charlottetown et de Québec, de 1864, qui président à la création de la Confédération. En plus de ses nombreux discours et articles de presse, McGee laisse plusieurs ouvrages sur l'histoire de l'Irlande et au-delà de trois cents poèmes. Il meurt assassiné à Ottawa, le 7 avril 1868, victime d'une conspiration possible de Féniens, des patriotes irlandais d'Amérique.

Année de désignation : 1959
Emplacement : plaque apposée sur un mausolée, lot K12-32 du cimetière Notre-Dame-des-Neiges, 4601, chemin de la Côte-des-Neiges.

87 Thomas D'Arcy McGee en 1867, William Notman. ANC, C-016749.

L'ÎLE DE MONTRÉAL

Michel Bibaud
(1782-1857)

Natif de la Côte-des-Neiges, Bibaud exerce les métiers de professeur, de journaliste, d'auteur et d'annaliste. Poète à ses heures, il publie le premier recueil de vers écrit par un Canadien français : *Épîtres, satires, chansons, épigrammes et autres pièces de vers*. Comme journaliste, il rédige des articles pour plusieurs périodiques à vocation historique, scientifique ou littéraire, et en particulier pour la *Bibliothèque canadienne*, revue mensuelle qu'il fonde en 1825. Les deux volumes de son *Histoire du Canada* suscitèrent des réactions diverses en raison de leur forte connotation loyaliste.

Année de désignation : 1945
Emplacement : plaque apposée près de l'entrée du cimetière Notre-Dame-des-Neiges, face au 4505, chemin de la Côte-des-Neiges.

Trafalgar Lodge

Cette spacieuse villa représente l'un des rares spécimens d'architecture résidentielle de style néogothique au Québec, courant qui s'est surtout manifesté dans les provinces atlantiques et en Ontario. Conçue par John Howard, elle est bâtie entre 1846 et 1848 pour Albert Furniss, principal gestionnaire de la Compagnie de gaz de Montréal et personnalité très influente du monde politique et économique. Malgré les nombreuses modifications apportées à cette résidence depuis son érection, plusieurs éléments témoignent toujours de la phase « rationaliste et archéologique » qui teinte le style néogothique, vers 1850. La rosace de la porte d'entrée, le découpage des motifs de trèfles et celui des bordures de toit en bois ajouré n'en sont que quelques exemples.

Année de désignation : 1990
Emplacement proposé : 3021, avenue Trafalgar.
Plaque à venir.

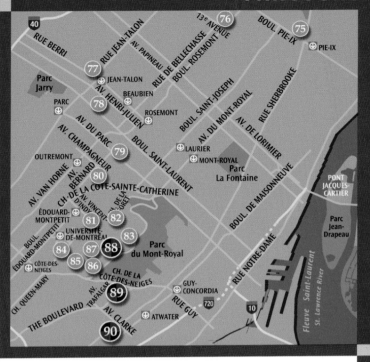

L'église
Saint-Léon
de Westmount

La décoration intérieure de cette splendide église est réalisée entre 1928 et 1944 par Guido Nincheri, artiste canadien d'origine italienne qui participe à l'ornementation de plus de cinquante édifices au Canada. Le travail exécuté à l'église Saint-Léon de Westmount constitue l'un des exemples les plus évocateurs de son œuvre. Il met en valeur la polyvalence de Nincheri : architecture, sculpture, peinture, vitraux et ameublement. Dans les années 30, Nincheri sera honoré à quatre reprises par le Vatican qui le considérait comme un des plus grands artistes en art religieux au monde.

Année de désignation : 1997
Emplacement : plaque apposée au 4311, boulevard
De Maisonneuve Ouest.

L'ÎLE DE MONTRÉAL

90   **L'église Saint-Léon de Westmount.**
Photo : Rémi Chénier, Parcs Canada, Québec, novembre 2003.

109

Le canal de Lachine

Entrepris dans la foulée de la construction de canaux en Grande-Bretagne à la fin du XVIIIᵉ siècle, le canal de Lachine est creusé entre 1821 et 1825. Élargi dans les années 1840 et 1870, il constituera la tête d'un réseau d'aménagements similaires sur le Saint-Laurent, qui relieront l'Atlantique aux Grands Lacs, créant ainsi le plus long couloir de navigation intérieure au monde. Destiné principalement aux navires, le canal de Lachine se distingue toutefois des canaux britanniques de l'époque, qui servent surtout au trafic des barges. Après une fermeture partielle en 1960, il est définitivement interdit à la navigation dix ans plus tard. Au cours des années, les ingénieurs lui confient la triple fonction de voie navigable, de pourvoyeur d'énergie et d'aqueduc industriel. Ces deux derniers rôles entrent néanmoins en conflit avec sa vocation première, ce qui nécessite, surtout au XIXᵉ siècle, d'importants travaux d'amélioration afin de concilier ces usages. Sillonné par des voiliers puis par des vapeurs, le canal de Lachine impose la création d'un type particulier de navire, le *canaller*, adapté aux dimensions de ses écluses et à celles des autres canaux du réseau de navigation intérieure. Trois principaux produits y transitent au fil des ans. D'abord le bois provenant des nouvelles terres de l'Ontario, puis le blé et la farine. Plus tard, on y amène le charbon de Pennsylvanie et celui de la Nouvelle-Écosse. Le canal de Lachine a été rouvert à la navigation en mai 2002.

Année de désignation : 1929
Emplacement proposé : une plaque à chaque extrémité du canal, l'une près du Vieux-Port et l'autre à Lachine; plaques à venir.

⑨⑴ Le canal de Lachine, vers 1850, James Duncan.
Musée McCord d'histoire canadienne, Montréal, M984.273.

La construction du pont tubulaire Victoria

Érigé entre 1854 et 1859, le pont tubulaire Victoria est le projet le plus ambitieux et le plus gigantesque du genre jamais entrepris à travers le monde à cette époque. Son design particulier, ses méthodes de construction innovatrices et le type de matériau utilisé marquent le début d'une ère nouvelle dans l'établissement des ponts de chemins de fer. Sa mise en service, en 1860, a un impact majeur sur le développement économique de Montréal et de l'ensemble du Canada. Il est démoli en 1897 et remplacé par une nouvelle structure à poutre triangulée en acier, à deux voies ferrées : le pont du jubilé de la reine Victoria. Celui-ci s'appuie sur les piles et les culées d'origine.

Année de désignation : 1999
Emplacement proposé : entrée sud du pont Victoria
ou près de la piste cyclable, à Saint-Lambert; plaque à venir.

92 Le pont Victoria (*De Victoria Brug Te Montreal*), gravure du XIXᵉ siècle imprimée par E. Spanier, La Haye.
BNQ, Montréal, iconodoc. 092.

L'ÎLE DE MONTRÉAL

Le complexe manufacturier du canal de Lachine

93

Le canal de Lachine marque la transition entre la navigation de haute mer et la navigation intérieure. Ses rives sont considérées comme le berceau de l'industrie manufacturière canadienne. Cet imposant complexe d'énergie hydraulique donne naissance à l'un des plus importants ensembles manufacturiers au pays. Plusieurs facteurs contribuent à ce succès.

93a   Année de désignation : 1996
Emplacement proposé : près de l'écluse Saint-Gabriel,
à l'angle des rues des Seigneurs et Basin; plaque à venir.

93   **Le canal de Lachine, vers 1930.** ANQQ, E21 ministère des Terres et Forêts/Série compagnie aérienne franco-canadienne nº N49-16.
93a   **Le canal de Lachine en amont de l'écluse Saint-Gabriel, 1920.** ANC, PA-10118.

93b

En premier lieu, l'accessibilité à l'eau assure la force motrice et fournit un agent de blanchiment, de nettoyage ou de refroidissement. Ensuite, la cœxistence d'un canal et d'un nœud de transport ferroviaire favorise l'implantation industrielle. La concentration d'entreprises d'une exceptionnelle diversité facilite la création d'un réseau d'interdépendances, facteur clé de la réussite, auquel s'ajoutent la présence d'un bassin de main-d'œuvre et la proximité d'une métropole commerciale et financière. Ainsi, de 1846 à 1945, près de huit cents entreprises de tous les secteurs de production s'y établissent, parmi lesquelles plusieurs fleurons technologiques de l'industrie canadienne.

L'ÎLE DE MONTRÉAL

93b Le bassin n° 2 du canal de Lachine. La Livingston Linseed Oil Co. en 1903.
Collection Parcs Canada, Centre de services du Québec.

L'édifice de la Banque de Montréal

De style néo-Queen Anne, la succursale de la Banque de Montréal, située rue des Seigneurs, est construite en 1894-1895 d'après les plans de l'architecte sir Andrew Thomas Taylor. Son revêtement de grès rouge, ses travées délimitées par des pilastres surmontés de sculptures représentant des cerbères ailés ou des lions tenant un bouclier, ses grandes lucarnes élaborées, constituent les principales caractéristiques architecturales du bâtiment. La succursale ouvre ses portes le 1er mai 1895 et cesse ses activités le 31 août 1979.

Année de désignation : 1990
Emplacement : 1850, rue Notre-Dame Ouest, à l'angle de la rue des Seigneurs.
Plaque à venir.

La Merchants Manufacturing Company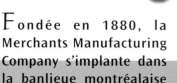

Fondée en 1880, la Merchants Manufacturing Company s'implante dans la banlieue montréalaise de Saint-Henri, où elle érige son usine textile en 1881. L'édifice de brique mesure 115 mètres sur 25 et comprend 4 étages, sans compter le sous-sol. En fonction dès 1882, l'usine est agrandie dans les années 1890. Entre 1885 et 1908, son équipement passe de 25 500 à 110 000 fuseaux et de 635 à 2465 métiers à tisser, ce qui la classe au deuxième rang au Canada. Elle produit de la toile blanche pour chemises, de la toile de coton, écrue et de luxe, des draps, des taies d'oreiller, de la gaze et d'autres cotonnades blanchies et teintes sur place. La Merchants reste indépendante jusqu'à sa fusion avec la Dominion Textile en 1905. L'usine ferme ses portes en 1967. Le bâtiment, aujourd'hui converti en copropriété, demeure l'un des derniers témoins du berceau industriel canadien qu'a été le canal de Lachine.

Année de désignation : 1989
Emplacement proposé : 3970-4200, rue Saint-Ambroise,
à l'angle de la rue Saint-Ferdinand; plaque à venir.

94 La Banque de Montréal, vers 1895, William Notman & Son.
Musée McCord d'histoire canadienne, Montréal, VIEW-2794.
95 La Merchants Manufacturing Company, vers 1893.
Publié dans *A Chronology of Montreal and of Canada from A.D. 1752 to A.D. 1893*, p. 355.

Marguerite Bourgeoys
(1620-1700)

Grâce à leur courage et à leur dévouement, plusieurs femmes ont laissé un souvenir impérissable dans la mémoire collective canadienne : Marguerite Bourgeoys est l'une d'elles. Dès son arrivée en Nouvelle-France, en 1653, elle se voue à l'éducation des filles de la jeune colonie en prodiguant un enseignement gratuit. Aujourd'hui, les religieuses de la congrégation de Notre-Dame, première communauté religieuse canadienne, qu'elle fonda en 1658, perpétuent son œuvre dans tout le Canada, aux États-Unis et au Japon. Marguerite Bourgeoys est la première Canadienne à être canonisée par le Vatican, en 1982.

Année de désignation : 1985
Emplacement : plaque apposée sur le terrain de l'école secondaire Villa Maria, 4245, boulevard Décarie, à l'angle de l'avenue Monkland.

96 Le vrai portrait de Marguerite Bourgeoys, 1700, Pierre Le Ber.
Musée Marguerite-Bourgeoys, 1999.128. Photo : Bernard Dubois.

James Bruce, 8ᵉ comte d'Elgin (1811-1863)

De 1847 à 1849, ce gouverneur général du Canada habite l'ancienne résidence Monklands, aujourd'hui l'école secondaire Villa Maria. Ce diplomate s'illustre sur la scène politique canadienne à maintes occasions. Il fait un coup d'éclat quand, en 1849, il met de l'avant son projet de loi visant à indemniser les victimes des soulèvements de 1837 et 1838. Le tollé qui s'ensuit se solde par l'incendie de l'édifice du Parlement et par des bagarres dans les rues de Montréal. Lord Elgin quitte la scène politique canadienne en 1854 et se retire en Angleterre. Il s'éteint en 1863 alors qu'il est vice-roi et gouverneur des Indes.

Année de désignation : 1974
Emplacement proposé : école secondaire Villa Maria, 4245, boulevard Décarie, à l'angle de l'avenue Monkland; plaque à venir.

Le couvent Villa Maria

Cette somptueuse demeure est d'abord connue sous le nom de Monklands, une allusion à James Monk, juge en chef de la Cour du banc du Roi, qui a fait construire le pavillon central en 1794. De 1844 à 1849, elle sert de résidence principale à trois gouverneurs généraux du Canada : sir Charles Metcalfe, lord Cathcart et lord Elgin. En avril 1854, la propriété est vendue à la congrégation de Notre-Dame de Montréal. Elle devient alors un couvent pour jeunes filles et prend le nom de Villa Maria. Les Sœurs de la congrégation de Notre-Dame, qui en sont toujours les propriétaires, y poursuivent leur enseignement.

Année de désignation : 1951
Emplacement proposé : 4245, boulevard Décarie, à l'angle de l'avenue Monkland. Plaque à venir.

(97) *James Bruce, The Earl of Elgin and Kincardine*, 1848, Thomas Coffin Doane. ANC, C-000291.
(98) *Monklands, le couvent Villa Maria*, vers 1889, William Notman & Son. Musée McCord d'histoire canadienne, Montréal, VIEW-1919.

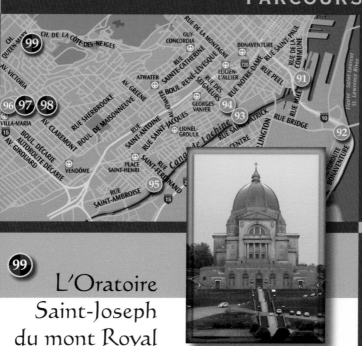

L'Oratoire Saint-Joseph du mont Royal

Cet imposant lieu de prière et de pèlerinage est né de la vision d'un humble portier du collège Notre-Dame de Montréal et de sa foi en saint Joseph. Alfred Bessette, mieux connu comme le frère André, de la Congrégation de Sainte-Croix, est à l'origine de la première chapelle dédiée au saint patron du Canada, sur le mont Royal, en 1904. À cause du nombre croissant de visiteurs, on doit agrandir cette chapelle en 1908 et en 1910. Puis, en 1917, on érige une église de 1000 places — la crypte, dont les vitraux remarquables seront réalisés quelques années plus tard par Les Ateliers Perdriau et O'Shea. La construction de la basilique est entreprise en 1924, selon les plans de Dalbé Viau et Alphonse Venne. L'extérieur est complété à partir de 1937, année de la mort du frère André, par Dom Paul Bellot, un moine bénédictin français, et Lucien Parent, un architecte montréalais. La décoration intérieure de l'édifice, confiée à l'architecte canadien Gérard Notebaert, se poursuit jusqu'en 1966. À noter, les splendides vitraux de Marius Plamondon ainsi que les statues des douze apôtres sculptées par Henri Charlier. Le complexe de l'Oratoire comprend aussi une chapelle votive, un musée, un jardin et le chemin de croix de la montagne, œuvre du sculpteur Louis Parent. Le frère André a été béatifié par le pape Jean-Paul II en 1982. Jamais il n'aurait pensé que l'Oratoire accueillerait aujourd'hui plus de deux millions de personnes par année.

L'ÎLE DE MONTRÉAL

Année de désignation : 2003
Emplacement proposé : 3800, chemin Queen-Mary.
Plaque à venir.

99 L'Oratoire Saint-Joseph du mont Royal.
Photo : Jean-François Caron, Parcs Canada, Québec, octobre 2003.

Les rapides de Lachine

100

Pour de nombreux adeptes de sports nautiques, ces rapides sont synonymes de plaisir et d'émotions fortes. Pourtant, ils ont longtemps constitué un obstacle au transport maritime entre l'Est et l'Ouest du pays. Devant cette barrière naturelle, les voyageurs et les marchandises doivent emprunter la voie terrestre entre Montréal et Lachine. La région montréalaise devient ainsi un lieu de transit, d'échange et d'entreposage très important. Les rapides de Lachine jouent, de ce fait, un rôle capital dans les destinées de la métropole et des régions avoisinantes. L'ouverture du canal de Lachine, en 1824, permet de relier le Saint-Laurent aux Grands Lacs et d'accéder plus facilement à l'intérieur du continent.

Année de désignation : 1982
Emplacement : plaque apposée à LaSalle, le long du boulevard LaSalle, entre les boulevards Champlain et Bishop Power.

La maison Le Ber-Le Moyne

101

Cette maison est située sur le terrain du musée de Lachine. Elle est construite en 1669-1671 afin de servir de poste de traite à deux éminents commerçants montréalais : Jacques Le Ber et Charles Le Moyne. Ce poste de traite, alors le plus à l'ouest de la colonie, est en activité jusque vers 1685. Par la suite, la maison est vendue. Incendiée vers 1689, probablement lors du « massacre de Lachine », elle est abandonnée jusqu'en 1695. Réparée, elle sert de résidence jusqu'en 1946, année où la municipalité de Lachine en fait l'acquisition. Un musée y est ouvert en 1948 et des travaux majeurs de rénovation y sont effectués entre 1980 et 1985. Selon les connaissances actuelles, la maison Le Ber-Le Moyne et un bâtiment secondaire appelé « la dépendance » représentent le seul poste de traite du Régime français « encore debout ».

Année de désignation : 2002
Emplacement : 110, chemin de LaSalle, Lachine.
Plaque à venir.

100 Bateau descendant les rapides de Lachine, 1843, H.F. Ainslie.
ANC, C-000506.
101 La maison Le Ber-Le Moyne, vers 1671, dans Désiré Girouard,
Le vieux Lachine et le massacre du 5 août 1689, Montréal, Gebhardt-Berthiaume, 1889.

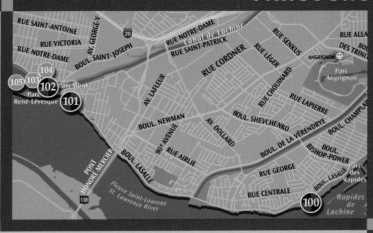

Le hangar de pierre de Lachine

L'intérêt de cette bâtisse, qui était beaucoup plus modeste lors de sa construction en 1803, réside dans le lien très étroit qui l'unit au commerce des fourrures durant la première moitié du XIXe siècle. Ses propriétaires initiaux, Alexander Gordon puis la Compagnie de la baie d'Hudson, l'utilisent à des fins d'entreposage pour le commerce et la traite des fourrures jusqu'en 1859. Vendu à la communauté des Sœurs de Sainte-Anne, le bâtiment est considérablement modifié pour servir d'habitation. Propriétaire du bâtiment depuis 1977, Parcs Canada y commémore l'un des grands thèmes de notre histoire : le commerce des fourrures.

Année de désignation : 1970
Emplacement : lieu historique national du Canada
du Commerce-de-la-Fourrure-à-Lachine,
plaque apposée dans le parc Monk, à gauche de la façade du hangar,
près du boulevard Saint-Joseph et de la 12e Avenue, Lachine.

L'ÎLE DE MONTRÉAL

Le massacre de Lachine

Le massacre de Lachine marque le point culminant des guerres qui opposent les Iroquois et les Français pour le contrôle des territoires de traite au XVIIe siècle. En juin 1687, le marquis de Denonville, gouverneur de la Nouvelle-France, emprisonne perfidement plus d'une centaine d'Iroquois, dont plusieurs sont envoyés aux galères du roi, en France. Dans la nuit du 4 au 5 août 1689, voulant venger cet affront, une bande de 1500 Iroquois envahit Lachine et massacre ses habitants. Selon les chroniques de l'époque, 2000 personnes perdent la vie et 120 autres sont capturées. Il serait toutefois plus réaliste d'estimer le nombre total des victimes à une centaine d'individus. Quoi qu'il en soit, ce tragique événement sème la terreur dans toute la colonie. L'année 1689 est longtemps nommée « l'année du massacre ». Les hostilités prennent fin avec la signature du traité de la Grande Paix de Montréal, en août 1701.

Année de désignation : 1923
Emplacement : plaque apposée à l'entrée du lieu historique national du Canada du Commerce-de-la-Fourrure-à-Lachine, 1255, boulevard Saint-Joseph, Lachine.

Les Sœurs de Sainte-Anne

Les Sœurs de Sainte-Anne figurent parmi les communautés religieuses ayant le plus contribué au développement de la société canadienne. Depuis sa fondation en 1850 par Marie-Esther Blondin, la communauté ne cesse de croître et de se diversifier, particulièrement en dispensant l'enseignement aux enfants et aux adultes dans plusieurs provinces canadiennes et aux États-Unis. Les sœurs se consacrent aussi au soin des malades et des vieillards dans les hôpitaux ainsi qu'à la tenue de centres d'hébergement et de dispensaires. De plus, elles prennent part à divers mouvements de justice sociale, d'aide à la jeunesse, de promotion féminine, de bénévolat et de pastorale.

Année de désignation : 1988
Emplacement : plaque apposée près de l'entrée principale du couvent Sainte-Anne, 1300, boulevard Saint-Joseph, Lachine.

103 *Fugitive, épisode du massacre de Lachine, 1689*, bronze de Louis-Philippe Hébert, 1910. Musée national des beaux-arts du Québec, numéro d'accession 73.12. Photo : Patrick Altman.
104 *La vénérable Marie-Esther Blondin, fondatrice des Sœurs de Sainte-Anne, après 1850*. Archives des Sœurs de Sainte-Anne.

Cavelier de La Salle
(1643-1687)

Originaire de Rouen, France, René-Robert Cavelier de La Salle est un des grands explorateurs du Canada. À son arrivée au pays, en 1667, il fonde un petit village dans l'ouest de l'île de Montréal qu'il nomme « Coste St Sulpice », aujourd'hui connu sous le nom de Lachine. Aventurier dans l'âme, La Salle abandonne la vie sédentaire et part en 1669 à la découverte du Mississipi. Ses expéditions en font un pionnier de la navigation sur les Grands Lacs. En 1675, il obtient la concession du fort Cataracoui, qu'il rebaptise Frontenac. La Salle atteint l'embouchure du Mississipi le 6 avril 1682 et prend officiellement possession du territoire au nom de la France le 9 avril suivant. Par ce geste, l'explorateur permet à la France d'étendre son domaine jusqu'au golfe du Mexique.

Année de désignation : 1934
Emplacement : plaque apposée sur un monument, sur la promenade du Père-Marquette, entre la 17e Avenue et la 18e Avenue, Lachine.

L'ÎLE DE MONTRÉAL

105 René-Robert Cavelier de La Salle, lithographie de Jules Adeline, vers 1870.
ANQQ, E6, S8, P18259-Y-12.

Sir William Christopher Macdonald (1813-1817)

106

Fondateur de la célèbre compagnie de tabac Macdonald, William Christopher naît à l'Île-du-Prince-Édouard. Il s'établit à Montréal en 1852. Dès 1871, sa manufacture de tabac de la rue Water (de la Commune) emploie plus de cinq cents personnes. Quatre ans plus tard, il bâtit une nouvelle usine dans l'est de Montréal, la plus grande au pays, où s'affairent plus de 1000 ouvriers. Au fil des ans, Macdonald amasse une fortune colossale et se démarque par sa philanthropie, qui lui vaudra d'ailleurs d'être fait chevalier en 1898. On peut le considérer comme le « père » de l'Université McGill, à laquelle il donne plus de treize millions de dollars. Principal actionnaire de la Banque de Montréal et de la Royal Trust Company, membre de plusieurs conseils d'administration, dont celui du Montreal General Hospital, il s'intéresse vivement à l'éducation dans les milieux ruraux. En témoigne, notamment, le MacDonald College de Sainte-Anne-de-Bellevue, inauguré en 1907, voué à l'enseignement de l'agriculture et de l'économie domestique, ainsi qu'à la formation des enseignants.

Année de désignation : 1974
Emplacement proposé : MacDonald College, 21111, Lakeshore Road, Sainte-Anne-de-Bellevue; plaque à venir.

107

Le canal de Sainte-Anne-de-Bellevue

Construit à des fins commerciales entre 1840 et 1843, le canal de Sainte-Anne-de-Bellevue fait partie du réseau national des canaux du Canada. Situé au confluent des voies navigables de l'Outaouais et du Saint-Laurent, il contribue à relier Montréal à Ottawa puis à Kingston, sur les rives du lac Ontario. Des travaux d'élargissement et de modernisation ont considérablement modifié ses structures d'origine, de sorte que le site ne contient que de très rares vestiges associés à la période de construction initiale. Depuis 1963, le canal ne dessert plus que la navigation de plaisance. Parcs Canada commémore le rôle commercial qu'il a joué au XIXe siècle et au XXe siècle.

Année de désignation : 1987
Emplacement : 170, rue Sainte-Anne, Sainte-Anne-de-Bellevue. Plaque à venir.

106 Sir William Christopher Macdonald en 1901, William Notman & Son.
Musée McCord d'histoire canadienne, Montréal, II-137467.1.
107 L'écluse Sainte-Anne.
Photo : Jacques Beardsell, Parcs Canada, Québec, août 1991, 194/PA/PR7/SPD-00032.

CH. SENNEVILLE · 110

Parc-nature
du Bois-de-la-Roche

109

CH. SENNEVILLE

CH. DES PINS

CH. SAINTE-MARIE

40

CH. SAINT-ANDREW'S · VICTORIA DR.

BOUL. SAINTE-ANNE AN·

107

108

20

106

108

Les « Voyageurs »

Chaque printemps, ces engagés de la traite des fourrures au service de la Compagnie du Nord-Ouest (1779) et de puissants marchands montréalais, tels Simon McTavish et James McGill, quittent Lachine à destination des Pays-d'en-haut. Ils se répartissent alors en brigades. Chaque brigade se compose de trois canots de maître, portant chacun un chef de canot, un homme de barre et des pagayeurs. Ceux qui n'ont pas d'expérience sont appelés *milieux* car on les place au centre de l'embarcation. Un canot, à lui seul, peut contenir une charge de 4 tonnes, soit 60 ballots de provisions et de marchandises de troc de 40 kilogrammes chacun. Ces hommes, au courage, à l'endurance et à l'habileté légendaires, accomplissent un périple incroyable en empruntant un réseau de rivières, de lacs et de portages. Le rendez-vous estival des brigades de voyageurs, qui regroupe jusqu'à 1000 individus, a lieu au Grand Portage (Fort William), sur la rive septentrionale du lac Supérieur. C'est là que s'effectue l'échange des cargaisons : les *hivernants*, ceux des postes de traite isolés, s'approvisionnent en victuailles et en marchandises de troc alors que les *Montréalais* chargent leurs canots de fourrures pour le voyage de retour. Ils reviennent à Lachine au début du mois de septembre. Ces voyageurs ont joué un rôle capital dans l'exploration du Saint-Laurent, de ses tributaires et du Nord-Ouest canadien.

 106
 107
 108

L'ÎLE DE MONTRÉAL

Année de désignation : 1938
Emplacement proposé : canal de Sainte-Anne-de-Bellevue, 170, rue Sainte-Anne, Sainte-Anne-de-Bellevue; plaque à venir.

(108) Canot de Voyageurs de la Compagnie de la baie d'Hudson en 1869, par Frances Anne Hopkins.
ANC, C-002771.

Parc-nature de l'Anse-à-l'Orme
Lac des Deux Montagnes
Parc agricole du Bois-de-la-Roche
Arboretum Morgan
Limites de l'arrondissement

L'arrondissement historique de Senneville

L'arrondissement historique de Senneville est situé à l'extrémité ouest de l'île de Montréal. Il comprend 82 résidences réparties sur de vastes domaines boisés le long du chemin de Senneville et plusieurs bâtiments secondaires : demeures des employés, maisons de thé, écuries, étables et garages. Ce lieu englobe également le parc-nature de l'Anse-à-l'Orme, le parc agricole du Bois-de-la-Roche, l'arboretum Morgan et le terrain de golf Braeside. Il a été reconnu d'importance historique nationale en novembre 2001 parce qu'il illustre la synergie qui s'est établie entre les grands financiers montréalais du tournant du XXe siècle et certains des plus importants architectes et architectes paysagistes canadiens de l'époque. Il témoigne aussi de l'évolution des aménagements pittoresques, et des architectures vernaculaire et Arts and Crafts, de 1865 à 1930. On y trouve des chefs-d'œuvre de l'histoire de l'aménagement et de l'architecture au Canada, dont les résidences Dow, Abbott, Todd, Angus, Meredith, Morgan, Forget et le domaine Boisbriant qui a appartenu à J.J.C. Abbott, premier ministre du Canada, puis à la famille Clouston.

109a Année de désignation : 2001
Emplacement proposé : près du domaine Boisbriant, le long du chemin de Senneville; plaque à venir.

109 Limites de l'arrondissement historique de Senneville; adapté de Michel Pelletier, *Rapport au feuilleton 2001-33*, Hull, CLMHC, novembre 2001, p.1162.
109a La maison J.L. Todd, 180, chemin Senneville.
Photo : Michel Pelletier, Parcs Canada, Hull, 2001.

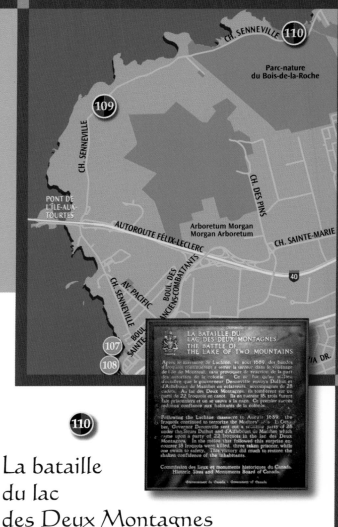

107
108
110
109
110

La bataille du lac des Deux Montagnes

Au cours de la seconde moitié du XVIIe siècle, Français et Iroquois s'affrontent pour le contrôle des territoires de traite. Après le « massacre de Lachine », en août 1689, des bandes d'Iroquois poursuivent leurs violentes attaques contre les colons français dans les environs de l'île de Montréal. En octobre, le gouverneur Denonville envoie deux soldats en patrouille, Nicolas d'Ailleboust de Manthet et Greysolon Dulhut, accompagnés de 28 cadets. Au lac des Deux Montagnes, le contingent intercepte un groupe de 22 Iroquois en canot. Il s'ensuit une bataille où 18 Iroquois sont tués, 3 sont faits prisonniers et un autre réussit à s'enfuir à la nage. Cette victoire redonne confiance aux habitants de la colonie, mais les hostilités perdurent jusqu'à la signature du traité de la Grande Paix de Montréal en 1701.

Année de désignation : 1925
Emplacement : plaque apposée sur le chemin Senneville, à l'intersection de la montée de l'Anse-à-l'Orme, Senneville.

Plaque commémorative de la bataille du lac des Deux Montagnes.
Photo : Rémi Chénier, Parcs Canada, Québec, 1991.

Le *Norseman*

L'aviation canadienne connaît ses heures de gloire avec le *Norseman*, un monoplan à aile haute conçu par Robert Noorduyn en 1935. Reconnu pour sa robustesse, sa fiabilité et sa grande capacité de chargement, cet aéronef est très populaire auprès des pilotes de brousse lors de leurs expéditions dans le Grand Nord canadien. Il est également adopté par plusieurs pays pour le transport commercial. Ses constructeurs, la Noorduyn Aviation Ltd. et la Canadian Car & Foundry Co., créent plusieurs versions de ce type d'appareil. Les *Norseman IV* et *VI* sont utilisés en grand nombre par les aviations canadienne et américaine lors de la Seconde Guerre mondiale.

Année de désignation : 1974
Emplacement : aéroport international Pierre-Elliott-Trudeau, 975, boul. Roméo-Vachon Nord, Dorval.

Les Sœurs de la Providence

Fondée en 1843 par Émilie Tavernier, veuve Gamelin, la communauté des Sœurs de la Providence est active depuis plus de cent ans dans divers domaines reliés au mieux-être des malades et des plus démunis. Son apostolat revêt de multiples facettes : orphelinats, hôpitaux, écoles pour les Amérindiens, maisons pour personnes âgées. Ces sœurs procurent aide et réconfort aux malades, aux pauvres, aux prisonniers, aux infirmes et aux femmes victimes de violence. Leurs institutions sont reconnues pour la qualité des services dispensés. Aujourd'hui, cette communauté perpétue avec compassion l'œuvre humanitaire de sa vénérable fondatrice.

Année de désignation : 1988
Emplacement : plaque apposée en face de la maison mère, Centre Émilie-Gamelin, 5655, rue De Salaberry, à l'angle de la rue De Meulles.

(111) Timbre émis le 5 octobre 1982 pour commémorer le *Norseman*.
« © Société canadienne des postes, 1982. Reproduit avec permission ».
(112) Sœur Émilie Gamelin, fondatrice des Sœurs de la Providence. Peinture conservée à la maison mère des Sœurs de la Providence. Photo : Lawrence Williams, 1980.

RIVIÈRE-DES-PRAIRIES

LAVAL

MONTRÉAL

LONGUEUIL

DORVAL

AÉROPORT
INTERNATIONAL
PIERRE-ELLIOTT-TRUDEAU

La bataille de Rivière-des-Prairies

En 1687, les Iroquois reprennent leurs raids contre les établissements de la Nouvelle-France, en particulier dans la région montréalaise. C'est dans ce contexte qu'a lieu un affrontement que d'aucuns ont comparé à l'épisode du Long-Sault, près de Carillon, où s'est illustré Dollard Des Ormeaux. À l'été 1690, quelque 25 habitants de Rivière-des-Prairies, sous le commandement d'un ancien lieutenant de l'armée française, défont une centaine de guerriers iroquois qui s'apprêtent à attaquer Montréal. L'historien E.-Z. Massicotte a été le premier à reconstituer cet événement, longtemps connu comme le combat de la coulée Grou. Dès 1914, il souhaite qu'on y élève une stèle commémorative. En juin 1921, l'*Action française*, sous la conduite de l'abbé Lionel Groulx, organise un pèlerinage historique sur ce site, dont l'importance historique nationale sera reconnue par la Commission des lieux et monuments historiques du Canada en 1924.

Année de désignation : 1924
Emplacement : plaque apposée face au 13470, boulevard Gouin Est, à la jonction de la 127e Avenue, Rivière-des-Prairies.

L'ÎLE DE MONTRÉAL

(113) Plaque commémorative de la bataille de Rivière-des-Prairies.
Photo : Rémi Chénier, Parcs Canada, Québec, 1991.

Index alphabétique

INDEX ALPHABÉTIQUE

INDEX ALPHABÉTIQUE

Événements
(et autres)

Lieux
(inclut les édifices)

INDEX THÉMATIQUE

Personnes
(inclut les groupes)

INDEX THÉMATIQUE

NOTES

Montréal, une ville d'histoire

NOTES

NOTES

_____
_____
_____
_____
_____
_____
_____
_____
_____
_____
_____
_____
_____
_____
_____
_____
_____
_____
_____
_____
_____
_____
_____
_____
_____
_____

NOTES

NOTES

NOTES